Histórias para os Avós lerem aos Netos

Isabel Stilwell

Ilustrações de Marta Torrão

verso de kapa

Índice

Ficha Técnica

Título
Histórias para os Avós lerem aos Netos

Autora
Isabel Stilwell

Convidado especial
Francisco Ferreira Fonseca

Editoras
Maria João Mergulhão
Maria da Graça Dimas

Revisão
Vera Corte Real

Design de capa e Paginação
DesignGlow.com

Ilustrações
Marta Torrão

Impressão e Acabamentos
Tipografia Lousanense, Lda

5ªedição, Novembro de 2014
ISBN: 978-989-8406-63-7
Depósito Legal nº 383404/14

@2013, Verso da Kapa
e Isabel Stilwell
Reservados todos os direitos

Verso da Kapa
Edição de Livros, Lda
Rua da Trindade 1
1200-379 Lisboa
info@versodakapa.pt
www.versodakapa.pt

Nós somos avós

E ste livro é para os avós que amam perdidamente os netos e os querem ajudar a ser felizes. São avós apaixonados, que não resistem a ver através dos seus olhos novinhos em folha, e descobrem um universo de coisas maravilhosas. São aqueles que quando encontram um cogumelo, num passeio pela floresta, apontam e dizem: «Olha, olha aquele cogumelo, aposto que lá dentro vivem duendes», e que ao verem o arco-íris que surge no céu enquanto a chuva cai fininha, pousam a mão no ombro dos seus pequeninos e dizem: «Repara, é sinal de que as bruxas se estão a pentear.»

São avós que não estragam os netos, porque sinceramente quem são os avós que querem netos estragados?, mas que lhes dão um colo sereno e um abraço apertado quando esfolam um joelho ou magoam o coração. Mas atenção, não são piegas, e empurram-nos com firmeza em direção aos seus medos, sem permitir que fujam de enfrentá-los.

São avós que sabem ser a retaguarda segura, sem virar sobre si as luzes dos holofotes, e muito menos tomar posse dos netos com chantagens emocionais doentias. Aceitam e retribuem o seu amor, sem esquecer que o seu papel principal é o de ajudar os filhos a serem bons pais, e em situações de crise a segurar as pontas sem alimentarem guerras de lealdades. Estes avós sabem que o pai e a mãe dos seus netos sê-lo-ão para sempre, aconteça o que acontecer.

São avós que não precisam de laços de sangue para assumir aqueles meninos como seus, prontos para noites de insónias e a mais uma voltinha no carro do Noddy, desejosos de partilhar com eles tudo o que sabem, desde como usar um canivete, sim um canivete, até como fazer um gelado de morango, respondendo com uma paciência imensa à lista mais infinita de porquês e de quereres: «Avô por que é que aquela torre é tão alta?», «Avó por que é que 2 e 2 são quatro?», «Avô, lembra-se do terramoto de 1755?» e, um dia, «Avó, convença a mãe a deixar-me ir à festa!»

São avós a quem a sabedoria ensinou a distinguir o essencial do acessório, e por isso não se atormentam com uma noite em que o filme é tão bom que não deixa tempo para o banho, em que um desgosto de amor rouba a fome e a comida fica no prato, ou quando a frustração os torna tão tensos como a corda de uma viola, e a única solução é uma guerra de almofadas.

São avós que aprenderam que não há desculpa para a crueldade, a má-criação, o egoísmo e a tirania, e que as crianças mais felizes são aquelas que tiveram direito a uma autoridade com amor - e estão dispostos agora a exercê-la.

Estes avós adoram a desculpa que os netos lhes oferecem para voltarem a fazer aquelas coisas que toda a gente jura que já não é para a sua idade, como: tomar banho de mangueira, nos dias quentes de verão; subir às árvores para apanhar o papagaio de papel que ficou preso entre os ramos; saltar com os netos nas poças de lama, sem se importarem nem um bocadinho com a roupa suja, porque estamos fartos de saber que as nódoas difíceis são as que a falta de cuidado dos outros nos deixam na alma.

Estes avós contam histórias e não deixam esquecer o passado, certos de que são a memória viva em que os netos devem lançar as suas raízes, para não cederem à primeira tempestade.

Estes avós, somos nós!

Carta de uma Avó Feliz

Há muitos, muitos anos, quando fui mãe pela primeira vez percebi rapidamente que o mundo nunca mais seria o mesmo. Mudava por dentro, na consciência de um amor absolutamente irracional e desmedido por aquela criatura, e mudava por fora, porque a verdade, verdadinha é que nunca mais se come (adeus às refeições sossegadas), pensa (sem um «Ó mãee-ee...» que corta o fio à meada) ou dorme (meu Deus, como se sobrevive a uma, duas... dez noites de privação de sono?) da mesma maneira. O dia a dia passa a ser um teste constante aos nossos limites e à nossa paciência e resistência, contrabalançado pela surpresa de descobrir que o nosso coração é absolutamente elástico, e cresce com eles.

Três filhos depois definia-me, antes de qualquer outra coisa, como mãe. Não pela «carga laboral», nem por vir inscrita num qualquer papel de impostos como «ocupação principal», nem tão pouco por me faltarem outros amores e interesses, nomeadamente as revistas *Pais e Filhos* e a *Adolescentes! Manual para Pais*, mas porque tinha a certeza absoluta de que ser mãe condicionava a forma como vivia tudo o resto. E sim, porque num momento limite de escolha, eles estariam primeiro.

É claro que pensei muitas vezes em ser avó mas, quando em 2010, a minha filha Ana me anunciou que estava à espera de bebé, não senti nada do que imaginei que sentiria naquele momento. Fiquei feliz, claro que fiquei feliz, mas o que mais me surpreendeu foi aquele nó na garganta, estupidamente apertado, e os pensamentos estranhos que vinham não sei de onde: «Se ao menos tivesse o poder de a poupar a estes nove meses, se ao menos lhe pudesse pôr este bebé nos braços, saudável e gordinho, já vestido com um cueiro de folhos e o cheiro a bebé misturado com o de água-de-colónia Johnson, os cabelos penteados com a risca bem feita, que parva que sou, que importa se o risco do cabelo está direito, para o que me deu, logo eu que nunca perdi tempo a pentear nem o meu cabelo, nem o dela».

Fiquei mesmo zangada comigo. Que disparatado é este desejo, constante, de tirar todos os obstáculos da vida dos meus filhos, como se não soubesse perfeitamente que não posso, nem devo, viver por eles. E mais, que não quero viver por eles.

Depois veio a descoberta de que não era um bebé, mas dois! Duas raparigas que me iam transformar em «bi-avó» de uma assentada só. A primeira vez que as vi no ecrã do aparelho da ecografia, saltavam, como se tivessem molas nos pés, saltavam como as lágrimas nos meus olhos, e nos olhos da Ana, e nos olhos da médica. Emocionei-me imenso, mas mesmo assim mantive o foco na minha filha. Ficou deitada a partir do 5.º mês de gravidez, e lembro-me de um dia ter olhado para ela, como se visse pela primeira vez os seus olhos verdes, o cabelo despenteado, o seu sorriso tão autêntico e a barriga redonda, e de ter pensado: «É ela o meu bebé, como sempre e para sempre. É a ela que amo incondicionalmente, é dela que quero ser mãe até ao fim dos meus dias, e depois disso, eternamente», e de ter percebido como ainda estava longe de ser uma avó.

Num fim de tarde de agosto nasceram a Carmo e a Madalena, prematuras de 35 semanas. Corri primeiro para a Ana, saída de uma cesariana complicada, lavada em lágrimas e sofrimento, tudo o que não queria para ela, e só depois de ter adormecido, fui ao berçário. Numa incubadora aberta, estavam dois bebés minúsculos de gorros enfiados, e ao vê-los chorei convulsivamente.

Depressa aprendi a conhecer-lhes as feições de cor, o meu dedo percorreu suavemente a linha do nariz, o contorno das orelhas, as bochechas, maiores numa do que noutra, para descer sob o queixo, e acabar pingado por lágrimas estúpidas, que insistiam em cair. Passei horas a tentar descobrir diferenças, numa busca urgente de uma identidade para cada uma, que as tornasse naquilo que todos queremos ser: únicos. E enquanto a «ocitocina por procuração» me invadia, percebi como a natureza é sábia e nos armadilha a um compromisso eterno com um recém-nascido, ao voto livremente assumido de amar para sempre, na saúde e na doença, na prosperidade e na pobreza, nos momentos bons e maus da vida, até que a morte nos separe... e para lá disso.

Depois da euforia do nascimento descobri o medo da morte, real ou imaginária, não importa, aquele medo terrível que nos revela como a vida é um milagre que tantas vezes tomamos como certo. Quando voltei a entrar na sala dos prematuros e as vi ligadas a máquinas, cateteres nas mãos, sondas na boca, e mais aflitivo, a Carminho com a cara minúscula escondida por uma máscara de oxigénio, os braços e as pernas fininhas a espernear contra toda aquela intromissão, rodeada de médicos e enfermeiras, fiquei sem fôlego. Seis horas depois, a gémea mais frágil reagiu bem e começou a respirar quase sozinha, e eu fiquei nas nuvens, consciente de que, pelo menos para mim, nasceu de novo.

Na manhã seguinte, hesitei no momento em que ia pôr nos pés os meus inseparáveis ténis. *Ups*, será que uma avó pode andar de jeans com remendos e ténis, confundindo-se ou querendo ser confundida com a mãe, ou igualmente grave, com um Peter Pan que não quis crescer?

Mergulhei para debaixo da cama, em busca de uns *mocassins* encarnados, um compromisso que me deixava tempo para pensar no assunto. Três semanas depois, comecei a perceber o que era ser avó de recém-nascidos, um papel difícil que exige autocontrolo e diplomacia, que nos permite estar próximos, mas nos obriga a guardar distância, a medir o envolvimento e o sentimento de posse, para não magoarmos, nem nos deixarmos magoar, mas ainda cometi muitos erros. Errava sempre que pretendia catequizar a Ana sobre os benefícios disto ou daquilo, deixava transparecer que era capaz de adormecer melhor a Carminho (e bem feita, quando tentei, não fui!), ou arrotar a Madalena (uma impossibilidade), dar lições ao melhor pai do mundo que é o meu genro, ou a concorrer (por dentro) pelo amor e atenção daqueles bebés que, de repente, se tornaram o centro de tudo.

Quando um mês depois saíram de nossa casa, para voltar para a deles, lembro-me que tentei disfarçar a dor com um comentário trocista ao estilo da Ágata, leva tudo, menos as crianças, e de nessa mesma noite, num impulso de angústia, ter enviado um SMS à Ana, que dizia qualquer coisa como: «Achas que vou conseguir ser mesmo, mesmo importante para elas, que têm a sorte de vos ter como pais?». A resposta veio rápida: «Acho que estamos todos com esse medo. Porque como são tão insuportavelmente importantes para nós, não suportamos imaginar não sermos vitais para elas. Não tenho é dúvida nenhuma do que a mãe é para mim: sem o seu amor não as conseguiria amar tanto!». Abençoados SMS, skype, facebook e telefones com câmara, porque tornam possível manter em tempo real, quase que ao vivo, e decididamente a cores, os laços de afeto, incluindo-nos na vida uns dos outros.

Agora a Carmo e a Madalena têm dois anos e meio, e entretanto juntou-se ao clã a terceira neta, a Constança, que fez nove meses há dias. Neste Natal apanhámos musgo e fizemos o presépio todos juntos, pintámos etiquetas com aquilo pelo qual damos graças e pendurámo-las na árvore. E o avô Luciano ensinou as gémeas a bater açúcar com natas, sentadas no chão com enormes colheres de pau. Eu comecei um álbum a que dei o nome de «Passeios com a Avó», com fotografias das nossas aventuras na floresta à procura de pixies e fadas, das escaladas ao castelo, das «mangueiradas» na relva com «chuvinha», como diz a Madalena, dos dias sob o céu azul do Alentejo em que nos esforçamos por dar festinhas aos cordeirinhos que acabaram de nascer, do desafio de as ensinar a distinguir as ervas daninhas que têm de ser arrancadas, das flores que são para ficar. E claro, dos momentos passados a ler livros, no prazer de redescobrir as histórias do *Winnie the Pooh* e tantas outras, que juntam dentro de cada um de nós o passado, o presente e o futuro, a voz dos que já cá não estão mas que ficaram em nós, e que queremos tanto deixar no coração dos nossos netos.

Foi de todas estas aventuras, desse novo mergulho na vida dos mais pequeninos, e da certeza de que as histórias e a magia devem fazer parte de qualquer infância feliz, que nasceu este livro, que conta com três contos do «convidado especial», o meu filho Francisco Ferreira da Fonseca (FFF). Livro que desejo que seja um pretexto para entrarmos com os nossos netos num outro mundo. Um mundo onde nos perdemos e reencontramos entre sorrisos, risos e gargalhadas, momentos de arrebatamento e de expectativa, e que provoca em nós uma felicidade tão pura e viciante, que só pode ter raízes na alegria que sentimos ao colo das nossas mães quando nos lia alto, perpetuando um ritual que já lhe pertencia e que continua, como um fio invisível a tornar-nos mais família. Afinal, o testemunho passado de geração em geração, e que mais não é do que a certeza da eternidade.

O que é certo, é que hoje sei, sem qualquer sombra de dúvida, que sou mãe e avó. É isso que sou, antes de mais nada. ⭐

Isabel Stilwell

Histórias
para Acordar
e Adormecer
Netos

As histórias:

A cama que não era uma cama

Avó, posso ir para a sua cama?, disse o Rui à avó quando ela o tirou do sofá e lhe pegou ao colo.

— Qual cama querido, não estás farto de saber que a avó não dorme numa cama.

— Não dorme numa cama avó?, perguntou o Rui, espantado, apontando para a cama dos avós.

— Não, aquilo ali para onde te estou a levar não é uma cama, é um barco!

O Rui torceu o nariz, com vontade de rir.

— Avó, mas não tem água à volta...

— Não tem água? É claro que tem, meu querido, por isso é que a avó te trás ao colo. Querias molhar o pijama todo, neste mar aqui à volta?, disse a avó, enquanto o atirava para dentro do edredão quentinho, com almofadas de penas que cheiravam a avó.

O Rui desatou a rir.

A avó respondeu, muito séria:

— Não abanes o barco, porque senão vira-se e não me apetece nada tomar um banho a meio da noite.

O Rui deu uma gargalhada, muito alta:

— E o que é que faz o avô a ressonar neste barco?

A avó tapou-lhe a boca com a mão e apertou-o contra si:

— Estás maluquinho. Qual avô? Isso é o motor do barco. Isto é um barco a motor, não estás a ver?

O Rui riu mais baixinho. E a avó continuou:

— Abre os olhos e vê as estrelas no céu.

O Rui primeiro só viu o escuro, mas aos poucos pareceu-lhe ver pontos a brilhar.

— A avó quer que eu veja nas estrelas o caminho que devemos seguir?, perguntou.

— Ora, ora, agora sim, já conheço o meu neto. Parecia tontinho, sempre a dizer que estava na cama da avó...

O Rui respirou fundo:

— É que sabe, avó, a mãe nunca me deixa ir para a cama dela, e acho que também não queria que viesse para a cama dos avós.

E a avó dando-lhe festas na cabeça, sussurou:

— Achas que a avó alguma vez desobedecia à mãe? Trazer-te para a cama dos avós, que disparate. Olha Rui, olha ali a Lua.

O Rui olhou e viu a lua, era noite de lua cheia, e encostando--se mais à avó disse:

— Mas a mãe não se importava nada que viesse andar de barco com os avós... Avó, olhe, estou a ver Júpiter... ✺

Uma avó alérgica a relógios

O João e a Madalena tinham ficado a dormir em casa da avó. Dormir em casa da avó era sempre muito divertido, porque naquela casa não havia um único relógio. Dizia que era alérgica a relógios.

Sabem o que é que isto quer dizer, não sabem? Que em casa da avó não havia horas de ir para a cama, já imaginaram uma casa sem horas de ir para a cama?

A avó guiava-se pelo sol e pelas badaladas que dava a barriga, quando tinha fome. Quando lhe apetecia comer dizia: «E se fossemos jantar» e lá aquecia a comida no micro-ondas, e de seguida sentavam-se à mesa. E um bocadinho depois do jantar, mandava-os para a cama, porque a hora de ir para a cama era sempre um bocadinho depois do jantar — e nunca precisava de olhar para os ponteiros e ver que horas marcavam.

E o mais estranho é que a avó acertava quase sempre, até ao dia em que o João descobriu uma maneira de a enganar. Sabem qual foi? Perguntou se podiam lanchar às 7 horas da tarde, e sentavam-se à volta da mesa a comer cereais, iogurtes, bolachas e bolo de chocolate, havia sempre bolo de chocolate em casa da avó, e assim conseguia trocar as voltas ao sino da barriga da avó e assim ela só se lembrava de jantar lá para as 11 da noite.

E depois do jantar dizia, como sempre:

— Meninos, agora só vos dou um bocadinho para brincar, e depois chichi e cama.

O João e a Madalena faziam a cara mais séria do mundo e punham um vídeo para que a avó não percebesse que horas eram (porque o horário do telejornal e da telenovela podiam levá-la a perceber que estava a ser enganada), e *zás*, como era tarde, a avó adormecia logo, e eles podiam ver o filme todo até ao fim.

Quando acabava, abanavam a avó devagarinho, a Madalena dava-lhe um beijinho na testa e dizia-lhe:

— Avó, avó, já passou uma hora, queremos ir para a cama como a avó mandou.

— Que lindos meninos, nem é preciso mandar duas vezes. Vão, vão dormir meus queridos, dizia a avó enquanto bocejava, coitada, sem saber que se tivesse relógio os ponteiros já apontavam para as duas da manhã.

E como não havia despertador, e a avó estava tão cansada por se ter deitado tarde que nem o sol a entrar pela janela a fazia abrir os olhos, ninguém acordava a horas de ir à escola. Quando a avó finalmente via a luz a entrar por debaixo das persianas da janela saltava da cama, aflita:

— Como é possível que tenha dormido tanto, o sol já lá vai tão alto, gritava assustada, correndo para o quarto da Madalena e do João para os acordar:

— Levantem-se, levantem-se porque a escola já começou há muito tempo.

O João, ensonado, gemia:

— Avó, agora já não vale a pena ir à escola...

E a Madalena, da cama dela, chamava:

— Avó sente-se aqui ao pé de mim, e puxava a avó até terem as duas a cabeça na almofada, e a avó, a Madalena e o João adormeciam outra vez até a barriga dar horas, ou seja até à hora do almoço.

Escusado será dizer que a mãe e o pai do João e da Madalena, raramente os deixavam em casa da avó durante a semana, apesar dos meninos todos os dias lhes pedirem: «Pai, mãe, deixem-nos ir dormir a casa da Avó Sem Relógio».

E a tua avó tem relógio? ★

O edredão das histórias

O Lourenço gostava muito de ficar em casa da avó a passar uns dias. Era o mais pequenino de três irmãos (*os mais velhos chamavam-se Diogo e Rodrigo*), mas como os outros já andavam na escola dos grandes, muitas vezes vinha sozinho e, *yes*, mais ninguém lhe roubava nem os brinquedos, nem os chocolates, nem o colo da avó, nem a paciência do avô para o ensinar a andar de bicicleta sem rodinhas.

Ora, num dia de muito calor, e estava calor porque o verão estava mesmo a chegar, quando chegou à cama viu que estava feita com um lençol branco e uma colcha fininha.

— Quero o edredão das histórias, gritou o Lourenço, com uma voz tão alta que até a vizinha de cima deu um salto.

Mas resultou, porque a avó veio a correr. O pior é que quando chegou ao pé dele, vinha muito zangada:

— Lourenço, que berraria é esta?

O menino apontou para a cama:

— Avó, onde é que está o meu edredão que conta histórias? Não durmo sem o edredão das histórias...

A avó encolheu os ombros:

— Está um calor de morrer, e o menino Lourenço quer um edredão de penas? Não estás bom da cabeça!

Mas o Lourenço fez uma cara de trovão, e sentou-se a um

canto amuado. *(Sabes o que é ficar com cara de trovão? É quando uma nuvem fica em cima das nossas cabeças e a partir desse momento só conseguimos olhar para dentro de nós, perdemos a voz, os olhos ficam tristes e a boca recusa-se a sorrir...).*

A avó não percebia nada do que estava a acontecer. O Lourenço normalmente falava pelos cotovelos, e era muito bem disposto. Ajoelhou-se ao pé dele, e pôs-lhe os braços à volta do pescoço:

— Desculpa, Lourenço, não sabia que esse edredão era tão importante para ti, mas tens de me explicar melhor como é que ele te conta histórias...

— A avó nunca viu que o edredão tem riscas?, disse o Lourenço num fio de voz.

— A capa do edredão?! Ah, afinal é da capa que tu gostas. Já sei, é aquele que tem em cada uma das riscas uns bonecos desenhados.

O Lourenço abanou que sim com a cabeça:

— Cada uma dessas riscas é uma história, e quando chego à cama, os animais falam comigo e contam-me coisas até eu adormecer. E agora, avó, como é que vou dormir com um lençol branco que não tem nada para contar?, disse o Lourenço, e começou a soluçar.

A avó pôs-se de pé, e exclamou:

— Já sei! Se o que tu queres é a capa do edredão, é fácil.

E foi até ao armário da roupa, retirou de lá a capa, voltou para o quarto do neto, tirou o lençol da cama e substituiu-o pela capa das histórias.

— Contente?, perguntou.

O Lourenço acenou que sim com a cabeça. Agora já ia ter quem lhe contasse histórias. Mas a avó quis saber:

— Achas que me podes contar alguma das histórias que o teu edredão te conta a ti?

O Lourenço sentou-se ao fundo da cama e apontou para a primeira risca.

— A avó está a ver o macaco encarnado e o macaco verde, e o camelo azul? Os macacos estão sempre a contar anedotas e a fazer troça do camelo, mas o camelo nunca se zanga e deixa-os atravessar o deserto nas costas dele, por isso é que tem dois altos nas costas, uma para cada um...

— Agora percebo por que é que oiço tantos guinchos vindos aqui do quarto, à noite, disse a avó, divertida.

O Lourenço riu:

— Às vezes já estou cheio de sono, e tenho de os mandar calar. Demoram algum tempo, mas lá sobem para aquela palmeira — e o Lourenço apontou para a palmeira desenhada na capa do edredão — e acabam por adormecer também.

A avó olhou para a risca seguinte:

— Lourenço, não me digas que aquele crocodilo verde também te conta histórias, que medo!

O Lourenço sacudiu o cabelo, com ar destemido:

— Conta histórias que metem um bocadinho de medo..., na última que me contou o crocodilo tinha trincado a perna a uma bruxa que o queria transformar em peixe.

A avó fingiu que estava muito assustada:

— Que perigo, espero que tu não te atrevas a atravessar aquele rio, porque senão ainda ficas perneta.

O Lourenço deu uma gargalhada:

— A bruxa é que era má, avó, passava a vida a transformar os crocodilos em peixes de aquário, já viu, coitados, deixavam o rio e ficavam enfiados em aquários pequeninos em casa de pessoas que nem sequer percebiam que aquilo não era um peixe, mas um crocodilo enfeitiçado.

A avó concordou:

—Realmente essa bruxa merecia ficar sem uma perna! Coitados dos crocodilos. Mas se fosse a ti, não confiava muito. É que a história é contada pelo próprio crocodilo, e pode não ser bem verdadeira... Pelo sim, pelo não, atravessa sempre o rio pela ponte e mantém-te longe dele. Porque sabes o que aconteceu ao elefante que acreditou nele?

O Lourenço não sabia e pediu à avó para contar:

— É uma história de um grande escritor chamado Ruyard Kippling, o mesmo que escreveu o «Livro da Selva».

— Avó, e o que é que a história diz?

— Vou-te ler o livro, mas digo-te só agora um bocadinho: os elefantes dantes tinham narizes, como toda a gente, mas um dia um bebé elefante que era muito, muito curioso e não parava de fazer perguntas, quis saber o que é que os crocodilos comiam ao jantar. Toda a gente se zangou muito com ele por fazer uma pergunta tão perigosa, mas ele não desistiu de saber a resposta e um dia ao chegar ao pé de um rio, viu um crocodilo e não resistiu:

— Crocodilo o que é que comes ao jantar?

E o crocodilo fez um sorriso muito simpático e disse-lhe para se chegar mais perto. E o tonto do elefante bebé acreditou. E *zás*, quando se aproximou, o crocodilo agarrou-o pelo nariz.

O elefante percebeu o disparate que tinha feito, enfiou as patas no chão e puxou, puxou e puxou... e do lado de lá o crocodilo puxou e puxou e puxou...

— E depois avó?, perguntou o Lourenço, aflito.

— Depois vieram outros animais ajudar o elefante, e ele escapou a ser o jantar do crocodilo, mas ficou para sempre com o nariz transformado em tromba. E desde aí todos os elefantes têm tromba e dá-lhes muito jeito.

— Avó, veja, veja, a risca azul que vem a seguir é a dos meus amigos elefantes, o elefante azul e o elefante verde. Hoje à noite vou-lhes perguntar se sabem a história do Kippling, porque normalmente só me falam dos pássaros malucos.

A avó olhou mais uma vez para a capa do edredão e viu que naquela fila estavam desenhados muitos pássaros cor de laranja de bico encarnado e que em lugar de voarem a direito, andavam às voltas e pareciam cair no chão...

— Estes pássaros não sabem voar?, perguntou.

O Lourenço desatou a rir:

— Sabem, avó, mas gostam de fazer voos malucos, como aqueles aviões que fazem acrobacias no ar, sabe? O que me conta mais histórias é aquele, disse o Lourenço apontando para um dos pássaros do bando que, aos olhos da avó, parecia igualzinho aos outros.

— E estes leões falam contigo quando está escuro? Eu tinha medo!, disse a avó.

O Lourenço passou a mão por cima da risca do edredão de que a avó estava a falar:

—Não avó, veja, são muito mansos. Têm a ponta do rabo em escova, e às vezes magoam-me sem querer quando se sacodem depois de tomar banho...

— Não me digas que vêm para a tua cama molhados, refilou a avó. Não admira que às vezes acordes constipado.

O Lourenço sorriu, como quem foi apanhado em falta:

— A avó bem me pergunta como é que me constipei... mas não lhe podia dizer que ando a brincar com os leões no rio, porque senão a avó mandava-os para o Jardim Zoológico...

A avó concordou:

— Tens toda a razão! Leões molhados na cama do meu neto...

O Lourenço ficou preocupado:

— Avó, não diga nada ao Jardim Zoológico está bem? Eles prometem que se sacodem antes de virem para a cama. É que gosto muito de os ter aqui, porque são melhores do que cães de guarda, não há ladrão nenhum que tenha coragem de entrar no quarto de alguém que tem leões, pois não? E é mais perigoso ser assaltado do que ficar um bocadinho constipado, não é?

A avó concordou.

— Mas agora vamos lá para fora, querido, porque está tanto calor aqui dentro... e na praia estão baleias e golfinhos à tua espera.

O Lourenço foi a correr buscar o fato de banho. Podia ser que as baleias e os golfinhos do mar também tivessem muitas histórias para lhe contar... ☾

A Constança
e o triciclo
do pai

A Constança gostava muito de ir para casa dos avós, quer dizer a Constança gostava de lá estar durante o dia, mas quando chegava à hora de ir para a cama não conseguia adormecer. Sentia saudades do pai e da mãe, das flores da colcha, mas sobretudo do *roronar* do D. Sebastião, que encontrava sempre maneira de entrar no quarto e de se enroscar ao fundo da sua cama.

É claro que para a casa dos avós trazia sempre o seu urso azul favorito, que até dizia «Mamã» quando se carregava na barriga, mas não era a mesma coisa. Não percebia por que é que os pais não a deixavam trazer o gato, mas a verdade é que não deixavam, e por muitas tentativas que fizesse de o enfiar às escondidas na mala, eles descobriam sempre!

Por isso, a Constança, quando chegava à hora de deitar, pedia ao avô para ficar sentado ao pé dela a contar-lhe histórias. O avô dizia-lhe que devia aprender a adormecer sozinha, mas a verdade, verdadinha, e que não podemos contar a ninguém, é que gostava muito de ficar ali sentado com a mão dela muito quentinha e pequenina na mão dele, e de lhe ir contando coisas.

Às vezes eram histórias que a Constança já conhecia, como os Três Porquinhos, outras eram histórias disparatadas, como a da ervilha que queria fugir da panela, e que faziam a Constança desatar às gargalhadas e afastavam de vez o sono, o que não era nada bom. Mas as suas favoritas eram as histórias de quando o seu pai era pequenino. A Constança não conseguia muito bem imaginar que o pai alguma vez tivesse sido pequeno como ela: como é que era possível que tivesse andado de chucha, fizesse birras para comer a sopa ou passasse horas a construir torres de legos?

Mas o avô jurava que sim.

— Avô, conte aquelas histórias do pai: a do triciclo e a das bolas de Berlim, pediu a Constança naquela noite.

O avô fez-lhe uma festa no cabelo e fingindo que estava zangado disse:

— Constança, já contei 10 histórias, agora DORMIR.

— Ó avô, mas só aquela do triciclo e das bolas de Berlim.

O avô encostou-se para trás na cadeira e começou a contar:

— Era uma vez um menino chamado Afonso, que tinha uns olhos muito grandes, como os teus, e era muito esperto, como tu, e também muito guloso, como uma pessoa que eu cá sei.

A Constança começou a rir baixinho, mas o avô fingiu que não ouvia e continuou:

— Todos os dias o Afonso ia para a escola no seu triciclo. O pai e a mãe, ao princípio, refilavam muito e diziam: «És pequeno demais para ir sozinho de triciclo», mas o Afonso abanava a cabeça a dizer que não, e como os pais sabiam que guiava muito bem e com muito cuidado, deixavam-no ir.

— Mas não haviam muitos carros?, perguntou a Constança, um bocadinho preocupada com a ideia de que o pai, ainda por cima pequenino, fosse para a rua de triciclo.

O avô sorriu no escuro.

— Queres ouvir, ou não?

A Constança disse que sim, e o avô continuou:

— Os pais do Afonso deixavam-no ir de triciclo porque a escola era mesmo ao lado de casa, e porque podia ir por um caminho de terra por onde não passavam carros.

A Constança suspirou de alívio. Assim era outra coisa.

— E aonde é que deixava o triciclo? À porta da escola? Não o roubavam?

O avô fingiu outra vez zangar-se:

— Menina Constança assim não há história — além do mais como é que vais adormecer, se estás o tempo todo a falar?

A Constança afundou-se mais nas almofadas, puxou o urso azul para mais perto dela, e pediu:

— Avô, conte mais. E o avô continuou:

— O Afonso gostava muito de cadeados, andava com o bolso do casaco cheio de cadeados, pequenos, médios e grandes, uns que fechavam e abriam com chave, outros com números, mas não eram para o triciclo, porque ninguém podia roubar o triciclo...

— Porquê avô?, perguntou a Constança, cheia de curiosidade.

— Porque o triciclo só gostava do teu pai, e não ia para lado nenhum com mais ninguém!, explicou o avô.

— Não, avô? Mas e se outro menino se pusesse em cima dele e pedalasse para longe?, interrompeu a menina.

— Ah, ha!, mas aí é que está o segredo. Se alguém que não fosse o Afonso lhe tocasse, desatava a tocar uma campainha, uma campainha prateada que brilhava ao sol e se ouvia em todo o lado.

E mesmo que ninguém ouvisse, o ladrão não conseguia levar dali o triciclo, porque os pedais deixavam de pedalar, quer dizer andavam à roda, à roda... mas o triciclo não saía do mesmo sítio. Aliás, agora que falamos nisso, lembro-me de uma vez em que o Afonso ouviu o barulho da campainha, e saiu da aula a correr para ver o que era. Quando chegou perto do triciclo ainda lá estava um menino sentado, como se tivesse sido preso com uma cola mágica.

O Afonso disse ao triciclo para o deixar ir embora, e o menino foi muito envergonhado, coitado, ele afinal só queria experimentar o triciclo...

— E a professora não se zangou por o pai sair da aula a correr?, perguntou a Constança, cheia de inveja — às vezes, só às vezes, também lhe apetecia fugir da escola.

— Claro que sim. E o Afonso ficou muito triste e aflito, porque era muito bom aluno e não gostava nada que se zangassem com ele, mas quando a professora soube que tinha sido porque o triciclo estava em perigo, pediu-lhe desculpa. E nesse dia...

— Foi comer bolas de Berlim..., completou a Constança.

— Exatamente. Foi nesse dia, que quando o pai do Afonso foi ter com ele à escola e soube de tudo o que se tinha passado, decidiu levar o Afonso e o triciclo, a comer um bolo numa pastelaria que havia ali ao pé da escola. O Afonso pediu uma bola de Berlim, cheia de açúcar, daquelas que parece que têm areia da praia à volta delas, e até cheiram a praia *(ou a praia cheira a bolas de Berlim, nem sei...)*, e gostou tanto, tanto, tanto, que todos os dias passava por ali a comer uma bola.

— E o triciclo não comeu nem bebeu nada?, perguntou a Constança.

— Bem lembrado! É claro que o triciclo bebeu... o Afonso dava-lhe sempre um sumo de maçã. Os carros andam com gasolina, não é, mas os triciclos adoram sumo de maçã.

— Avô, e o avô amanhã ensina-me a andar de triciclo?, quis saber a Constança.

O avô pensou um bocadinho, e depois aconchegando-a, disse:

— Tenho a certeza de que o triciclo do Afonso te ensina num instante.

Numa voz já sonolenta a Constança pediu:

— E o avô deixa-me levar o triciclo para casa? Pode pôr no triciclo um cesto para o D. Sebastião ir comigo?

Mas já não ouviu a resposta porque adormeceu e começou a sonhar que andava a pedalar entre as nuvens, e o seu gato miava de contente no cesto que o avô tinha pendurado, mesmo lá à frente, ao pé do volante. ✸

Posso chamar-lhe avó?

m casa da Dona Genoveva a cama era igualzinha à da princesa Ervilhinha. Tinha tantos, tantos colchões, todos empilhados uns por cima dos outros, que a menina precisava de um escadote para subir lá para cima. E quando chegava ao topo, gritava um «weeee» e atirava-se, afundando-se no meio das penas, como se fosse um passarinho que caía para dentro do ninho.

Em casa da Dona Genoveva a cama nunca estava fria, aquele frio que nos obriga a esfregar os pés um contra o outro até aquecerem, porque lá no fundo havia sempre uma botija quentinha.

Em casa da Dona Genoveva nunca se tinham pesadelos, porque a luzinha da mesa de cabeceira ficava sempre acesa, e durante a noite vinha ao quarto muitas vezes ver se a menina estava bem tapadinha, e se lá estivesse algum sonho mau a tentar entrar, dava-lhe uma sapatada com tanta força que ele fugia a sete pés (*há pesadelos que parecem centopeias, e têm três pés de cada lado e um atrás, por baixo da cauda, ou seja sete pés ao todo, e por isso andam muito depressa*).

Em casa da Dona Genoveva, o pequeno-almoço era uma tigela enorme de cereais com morangos, sumo de laranja e gelado, e a menina podia comer o que quisesse, e deixar no prato o que não quisesse, que ninguém se importava.

Em casa da Dona Genoveva, havia um jardim, e passeavam as duas juntas, e o melhor de tudo era quando a Dona Genoveva a deixava entrar na gaiola gigante de periquitos de todas as cores, que voavam à volta dela, e lhe pousavam nos ombros e na cabeça. Às vezes, o marido da Dona Genoveva, o senhor Pedro, deixava-a levar um periquito, verde ou azul, para casa, mas sempre dentro de um cartucho com buraquinhos para ele poder respirar pelo caminho.

Em casa da Dona Genoveva, à hora do almoço a menina sentava-se numa mesa muito comprida, onde numa ponta ficava a Dona Genoveva e, na outra, o senhor Pedro (que sorria e cofiava o bigode, sem dizer nada). Comiam sempre gelado de limão entre cada prato, e se a menina pedisse por favor podia não comer sopa.

Quando chegavam ao fim do peixe ou da carne, a sobremesa era outra vez gelado, só que de framboesa, e não havia ninguém a dizer «Já chega. Não podes comer mais!».

Mas, se calhar, aquilo de que a menina mais gostava em casa da Dona Genoveva, era quando se sentava ao lado dela no sofá, e ela lhe lia um livro, para dizer a verdade, sempre o mesmo livro, de capa dura de cabedal, com desenhos muito bonitos, que contava a história de um menino que vivia com o avô, que era mau, mas que depois se tornava bom. Quando acabavam de ler o capítulo daquele dia, a Dona Genoveva arrumava-o numa prateleira alta atrás de uma cortina de veludo azul escuro, e lá ficava à espera da próxima visita da menina.

— Um dia, quando a Dona Genoveva morrer posso ficar com o livro?, perguntou uma vez a menina.

E a Dona Genoveva disse que sim e riu às gargalhadas, e a menina não percebeu muito bem porquê, mas era tão bom ver a Dona Genoveva rir, que nem perguntou por que é que ela se estava a rir. Depois ficou mais séria, e pediu-lhe que se lembrasse dela sempre que o lesse, e a menina respondeu:

— Claro que sim! E, ao mesmo tempo, pensou que o pedido era disparatado, porque era impossível ler este livro e não se lembrar dela.

Mas nem teve muito tempo para pensar em mais nada, porque eram quase 4 horas da tarde e a essa hora lá em casa jogavam sempre dominó. No verão, preferiam jogar numa mesa redonda no jardim, e no inverno estendiam as peças numa mesa baixinha em frente à lareira, para não apanharem frio. Mas bom, bom, era o lanche...

Em casa da Dona Genoveva bebia-se limonada num copo muito alto, e a menina adorava deitar muito açúcar no copo até fazer um montinho em pirâmide no fundo, que depois mexia com um pau especial muito comprido. E a Dona Genoveva nunca dizia, como os outros adultos: «Ai meu Deus, já chega, estás a deitar o açucareiro inteiro no copo!».

Era tão, tão bom estar em casa da Dona Genoveva, que quando a mãe da menina a vinha buscar ao fim do dia, a menina não queria ir, mas a Dona Genoveva dizia sempre:

— Daqui a uns dias podes voltar outra vez, aliás podes voltar sempre que quiseres, e abraçava a menina com muita força, e a menina abraçava a Dona Genoveva com mais força ainda.

Uma vez a caminho de casa a menina decidiu perguntar à mãe:

— Mãe, posso pedir à Dona Genoveva para ser minha avó?

A mãe deu-lhe um beijinho e respondeu baixinho:

— Achas que me precisas de pedir isso?

A menina deu um salto de contente.

— Avó Genoveva, avó Genoveva, avó Genoveva, cantarolou todo o caminho. E nunca mais lhe chamou Dona Genoveva. ☾

A princesa
e a minhoca
da maçã

Era uma vez uma princesa que estava farta de viver sempre dentro das muralhas do castelo. Estava cansada de fazer sempre as mesmas coisas, das mesmas brincadeiras, e até de vestir sempre vestidos de princesa!

Quer dizer, não era tudo, tudo uma seca, como se diz agora, porque havia o avô que cansado de ser rei pediu a reforma e passou a coroa para o filho *(o pai da princesa)*, e aquilo que o avô mais gostava era de fazer truques de magia com a neta.

Naquele dia, mal viu a princesa entrar, o avô fez-lhe o truque de que ele mais gostava.

Sabem qual era? Um que fazia os sapatos da princesa desaparecerem-lhe dos pés e aparecerem-lhe nas orelhas, como se fossem sapatos de orelhas que, claro está, num instante caíam ao chão, enquanto o avô ria e ria e ria.

— Avô não!, disse a princesa batendo o pé, zangada, os sapatos estão sujos e agora vou ter de ir lavar as orelhas!, protestou.

— O que se passa hoje com a minha princesinha que se costuma rir tanto deste truque de magia?

— Estou farta, avô, farta de tudo, explicou a princesa, ainda mais triste.

— Mas tu és tão bem disposta... sabes há dias em que todos acordamos mais chateados do que noutros. É mesmo assim, explicou o avô.

— Sei isso avô, mas estou farta, apetecia-me uma aventura, pronto, queixou-se a princesa.

— Então tenho a solução, disse o avô enquanto vasculhava as gavetas da secretária à procura de um frasquinho muito pequenino com um líquido verde lá dentro.

— Aqui está! Leva isto, mas tens de ter muito cuidado com ele porque é o único que existe no mundo inteiro.

— É para beber?, perguntou a princesa, a olhar enojada para aquele líquido gorduroso.

— Não, não, não é para beber. Os livros de histórias dizem que as poções são sempre para beber, mas não é nada disso. A feiticeira do deserto que mo deu só me disse: «Uma gota em cima do animal, uma gota na nossa mão». E mais não te digo para não estragar a surpresa...

A princesa estava intrigada. O avô nunca lhe tinha confiado nada mágico, quer dizer excepto aquele sapo com asas que acabara por fugir pela janela...

Mas agradeceu, e foi para o jardim à procura de um animal. Procurou, procurou, procurou... mas por muito que tenha procurado, nem uma formiga encontrou. Já muito cansada sentou-se à sombra de uma árvore, e reparou que mesmo aos seus pés estava uma maçã.

—Ai que fome, depois desta canseira toda apetece-me mesmo uma maçã. E segurando-a com as duas mãos, deu-lhe uma dentada, só que de repente viu que estava a sair lá de dentro uma minhoca.

Normalmente teria gritado, mas hoje não, porque era mesmo disto que andava à procura. Bem não era bem isto,

tinha imaginado encontrar um elefante, embora lhe parecesse pouco provável que houvessem elefantes no jardim do castelo, mas o avô sempre lhe dissera: «Nunca se sabe o que a vida nos reserva...», e talvez a vida lhe reservasse um elefante, por isso, uma minhoca não era bem, bem aquilo porque esperava, mas também servia...

«Boa, finalmente encontrei um animal!», pensou a princesa, e deixou cair uma gota em cima da minhoca, e uma gota em cima da sua própria mão.

E de repente a princesa começou a rodar no ar e...*bim, blop, blum*, e ficou tudo amarelo.

— O que fizeste sua bruxa, por que é que deste uma dentada na minha casa e te transformaste numa minhoca? És maluca?, gritou a minhoca, assustada.

E continuou a refilar, muito muito furiosa:

— Esta maçã é minha, nem penses que vens para aqui viver, ouviste bem? É minha!

A princesa ainda não tinha percebido o que acontecera, estava demasiado tonta com tanto rodopiar.

— E de que é que te estás a rir bruxa maluca? Cais dentro da minha casa, transformas-te numa minhoca como eu, e ainda te estás a rir?, gritava a minhoca.

— Desculpe, desculpe senhora minhoca, eu não quis estragar nada, foi sem querer, dei uma dentada na maçã sem saber que a senhora vivia aqui. E não sou bruxa nenhuma, sou só uma menina que queria saber como é que a senhora vivia, e como era a sua casa, respondeu a princesa, num tom de voz muito educado.

— Ah que boa notícia!, pensava que vinhas roubar a minha maçã. Por que é que não disseste logo que eras uma visita? Podias ter entrado pela porta da frente, em vez de comeres uma

das minhas paredes, mas pronto, não se fala mais nisso.

Sabes, é que não costumo receber muitas visitas. Aliás, se soubesse que vinhas teria arrumado um bocadinho melhor a casa..., foi dizendo a minhoca, enquanto arrumava os livros nas prateleiras, e dava uns safanões nas almofadas que estavam desarrumadas no sofá.

A maçã que a princesa vira como apenas uma maçã, afinal era uma verdadeira casa, tinha corredores, quartos, e até uma sala de jantar e uma cozinha.

— Queres um chá? Eu até comprei duas chávenas para quando tivesse visitas, mas como nunca tive nunca as cheguei a usar, quer dizer nunca usei as duas ao mesmo tempo, explicou a senhora minhoca a procurar disfarçar que estava um bocadinho sozinha. Mas a princesa percebeu, e mesmo não gostando muito de chá, respondeu logo:

— Claro! Apetece-me mesmo tomar chá consigo, senhora minhoca.

E foi assim que a princesa passou a tarde, e as duas conversaram muito: a senhora minhoca contou-lhe que como muita gente comia maçãs daquela árvore, já quase não havia minhocas, e por isso não tinha vizinhas com quem conversar.

A certa altura a menina começou a sentir-se esquisita, e quando percebeu que era a poção mágica a desaparecer, disse muito depressa:

—... hann, tenho de me ir embora, mas gostei muito de a conhecer e tem uma casa muito bonita... mesmo sem uma parede...

— Ah, pequenina esquece isso, valeu mesmo a pena. Já não me divertia tanto desde sei lá quando, e até foi uma aventura. Além de que podia ter sido muito pior, podias-me ter engolido com o bocado de maçã que mastigaste e isso sim, era horrível.

Enquanto a minhoca falava, a princesa *blim, blop, blum...*, já estava outra vez sentada à sombra da árvore, com a maçã meia trincada na mão. E lá estava a minhoca, minúscula.

— E se eu arranjasse uma casa nova para a minhoca?, pensou alto a princesa, e levou a maçã trincada até à outra ponta do jardim, onde havia uma macieira cheia de maçãs e encostou a maçã da minhoca a uma outra maçã onde não vivia ninguém, para que a senhora minhoca pudesse mudar de casa. Esperou um bocadinho, porque sabia que a minhoca tinha de levar consigo os móveis, os livros, as almofadas, e claro as chávenas de chá e todas as coisas que lhe pertenciam, e quando a viu bem instalada despediu-se dela, prometendo vir visitá-la em breve, e foi a correr para o castelo.

Agora parecia-lhe tudo novo, tudo diferente, cada degrau das escadas era como se nunca lá tivesse estado, e o seu quarto parecia-lhe gigante. A primeira coisa que fez foi guardar o frasco da poção numa gaveta, escondido entre as meias. «Que aventuras que ainda me esperam», pensou a princesa, mas jurou a si mesma que ia guardar a última gota para visitar a senhora minhoca, que tinha sido tão simpática com ela.

«E para a próxima levo-lhe umas bolachas, para comermos com o chá», prometeu, enquanto corria para o quarto do avô para lhe contar a aventura que acontecera.

«Aposto que ele nunca foi uma minhoca, aposto», dizia para si mesma.

E era mesmo verdade! ✸

FFF

Histórias de grandes aventuras

As histórias:

A Carolina e a bruxa da casinha de chocolate

«Era uma vez uma bruxa que vivia numa casa de chocolate no meio de uma floresta», leu a avó da Carolina, que era uma bruxa.

— Avó, não leia mais, depois sabe que não consigo dormir, disse a bruxinha Carolina, dobrando o chapéu tantas vezes, tantas vezes que passado um bocadinho estava todo enxovalhado.

A avó bruxa zangou-se:

— Carolina, quantas vezes é que te disse que o teu chapéu não é um trapo?

A Carolina ripostou logo *(num tom um bocadinho malcriado, é preciso dizer)*:

— E quantas vezes é que já pedi à avó para não me contar a história da bruxa da casinha de chocolate?

A avó da Carolina franziu o sobrolho, só uma vez, e a Carolina pediu desculpa por ter respondido torto, mas voltou a insistir, desta vez com uma voz mais meiguinha:

— Avó, a sério, tenho medo da bruxa da casinha de chocolate...

A avó olhou para ela, com ar de reprovação:

— Mas não podes ser uma bruxa a sério, se não souberes a

história dos dois meninos: João e Maria, e da casinha de chocolate. Qualquer menino com que te cruzes na escola, ou na rua, vai perguntar-te por ela, e fazes uma figura muito triste se não souberes que a bruxa apanhou as duas crianças...

— Pare, pare, avó!, disse a Carolina, outra vez zangada. É claro que sei a história, mas fico com medo de encontrar essa bruxa maldita, e que ela decida prender-me numa gaiola, engordar-me e depois comer-me ao pequeno-almoço.

E acrescentou..., mas muito baixinho:

— E não gosto que os meninos tenham essa ideia das bruxas, que julguem que eu era capaz de uma coisa dessas...

A avó da Carolina que era divertida mas também um bocadinho tonta, porque as avós, às vezes são um bocadinho tontas, olhou para a neta, coçou a cabeça e disse numa voz de brincadeira:

— Ó Carolina, estás tão magrinha, nunca comes nada, não me parece que haja perigo dela te querer no prato.

— Aiiiiiiiiiiiiiii avó, lá está a avó a dar-me pesadelos, protestou a Carolina.

— Não te estou a dar pesadelos, querida, não sejas disparatada. Para dizer a verdade não te fazia mal nenhum ficares presa numa gaiola a comer durante um tempinho. Dá-me cá o teu dedinho para eu ver...

— Não dou avó, não dou e vou fazer queixa à mãe de que a avó me anda a meter medo.

A avó olhou para a Carolina, que estava branca como um fantasma, e riu:

— Querida, a bruxa da casinha de chocolate nunca ia comer outra bruxa. Muito menos uma neta minha.

A mãe «aterrou» naquele momento na sala, e mesmo antes de ter tido tempo de tirar o casaco e arrumar a vassoura, ouviu a avó com esta conversa e disse muito zangada:

— Mãe, outra vez a assustar a Carolina?!? E virando-se para a filha disse: «Filha, a história da casinha de chocolate é uma história, mais nada. Nós nunca fazemos mal às pessoas, muito menos aos meninos...»

A avó ria, com um riso maroto:

— É verdade Carolina, as bruxas até são vegetarianas e gostam é de legumes estufados nos caldeirões com, vá lá... um sapo.

A Carolina correu para o colo da mãe, que a sentou num dos joelhos, e enquanto lhe fazia festas no cabelo, explicava:

— Não ligues à avó, já sabes que ela adora meter-se contigo. Sabes quem é que inventou a história dos meninos que se perdem na floresta? Os pais que não têm magia, e que querem impedir os filhos de ir para sítios perigosos, metendo-lhes medo. Os pais com magia, mesmo que não sejam bruxos como nós, sabem sempre onde os filhos estão, e quando não sabem confiam neles e sabem que não andam a fazer disparates!

Mas a avó não resistiu e interrompeu:

— Mas que estás muito magrinha estás... dá-me cá o teu dedinho, disse, fingindo uma vozinha esganiçada.

Só que desta vez a Carolina sabia que era a brincar, e fugiu a rir. ⭐

O coelho
chamado Ervilha

Era uma vez um coelho que se chamava Ervilha.

— Porque era verde?, perguntou a neta cheia de curiosidade.

— Não, o coelho não era nem um bocadinho verde, era todo branco, e só o focinho e a palma das patas é que eram pretas, disse a avó.

— Então por que é que o coelho se chamava Ervilha?

— O coelho chamava-se Ervilha porque era de uma menina que gostava tanto, tanto de ervilhas que queria convencer o coelho a comer ervilhas. Só que o coelho, embora se chamasse Ervilha, só gostava de alfaces, de couves e, claro, de cenouras.

Mas pouco importa, porque não sei se já reparaste mas ao princípio os nomes parecem-nos todos estranhos, mas aos poucos começam a pertencer à pessoa que nunca mais ninguém consegue dizer o nome sem pensar nela.

Por exemplo, os padrinhos de uma menina chamada Blábláblá, podem pensar: «Por que é que os pais lhe puseram um nome tão invulgar?» *(invulgar quer dizer que não se usa muito)* mas depois começam a gostar muito da Blábláblá, a rir das coisas que a Blábláblá diz e faz, e então passam a gostar do nome porque o nome é a afilhada, e a afilhada é o nome.

Ora, aconteceu exatamente isso mesmo com o Ervilha, e ao fim de algumas semanas em que o coelho vivia na varanda da menina, nunca mais ninguém achou esquisito que um coelho que não gosta nada de ervilhas tivesse esse nome.

Mas apresentado o Ervilha, o que eu queria contar é que o Ervilha não gostava de ervilhas mas gostava de todas as outras coisas verdes e, para dizer a verdade, de todos os outros legumes possíveis e imagináveis. Por isso, o Ervilha passava o dia na varanda da menina a olhar para a horta do senhor Nicolau, onde cresciam umas folhas cada vez mais apetitosas, para além de cenouras que eram cor de laranja como o sol, quando se põe no horizonte num dia quente de verão, e rabanetes tão cor-de-rosa como a Barbie e, por isso todos os dias pensava que deveria ser mesmo bom ir fazer uma visitinha ao vizinho.

Assim, um dia quando a menina lhe veio dar de comer, o Ervilha disse-lhe:

— Menina, podemos ir visitar o vizinho, porque a minha mãe disse-me que as pessoas bem educadas cumprimentam os vizinhos, e eu já moro aqui há muito tempo e nunca lá fui dizer Olá.

A menina foi perguntar à mãe, e a mãe da menina disse:

— Que coelhinho tão bem educado que o Ervilha é, minha filha. Vamos então apresentá-lo ao senhor Nicolau.

A menina pôs o coelho num cestinho e foram lá bater à porta.

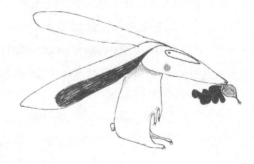

O senhor Nicolau ficou muito contente com a visita:

— Sente-se, menina, que lhe vou buscar um bolinho que a minha mulher acabou de fazer.

E virando-se para o Ervilha, perguntou:

— E o Ervilha o que gostava que lhe trouxesse?

Quando o Ervilha ouviu estas palavras deu um salto para fora do cesto e correu que nem um doido para a horta, direito a um rabanete cor-de-rosa e começou a trincá-lo todo, com os seus dentes muito compridos e afiados.

O senhor Nicolau foi a correr atrás do Ervilha, a gritar:

— Safado, não comas a minha horta.

Mas a menina correu atrás do senhor Nicolau, e gritou mais alto:

— Pare, pare... vizinho, ele só está a responder à sua pergunta. O senhor perguntou-lhe o que é que ele queria comer, e como ele ainda não aprendeu a palavra «rabanetes» teve de lhe vir mostrar o que queria.

O senhor Nicolau tirou o boné e coçou a cabeça:

— Não é que a menina tem razão? O mal-educado sou eu!

E arrancou da terra mais quatro rabanetes e pô-los num prato grande, pousou-os em cima da mesa e disse:

— Ervilha, senta-te aqui à mesa connosco, que já me tinha esquecido que eras meu convidado.

Quando o Ervilha ouviu que era convidado do senhor Nicolau, e porque era esperto, mas era um coelho, disparou outra vez a correr para a horta e começou a comer tudo o que encontrou à frente: nabos, couves, cenouras e... até ervilhas. Quando finalmente o conseguiram apanhar tinha a barriga tão grande que a menina julgou que ele ia morrer de uma indigestão.

— Que tonto, Ervilha, és um guloso, não te posso deixar à solta numa horta.

E foi aí que o senhor Nicolau, que afinal até já estava a gostar da companhia da menina e do coelho, teve uma ideia:

— E se fizéssemos uma horta só para ele? Escolhíamos um bocadinho do jardim, punhamos uma cerca em volta, e depois tu podias vir cá cavar a terra e cultivar as cenouras do Ervilha... e assim ele podia comê-las à vontade sem estragar a minha horta, o que achas?

E a menina e o Ervilha ficaram muito contentes. Mas há uma parte desta história que a menina nunca soube. É que nos dias frios, o senhor Nicolau levava o Ervilha para a sala e via televisão com ele ao colo, mas não dizia a ninguém com medo que achassem que era um «coração-mole», que é um medo que às vezes as pessoas que são rabugentas têm.

Agora, tu e eu temos este segredo para guardar e não podemos contar a mais ninguém, prometes? ☾

Os dois ratos espertos

avô do Filipe era cientista e sempre que o Filipe lá ia jantar, falava de como os seus ratinhos de laboratório eram tão inteligentes, aprendiam tão depressa e faziam coisas inacreditáveis como bater à porta da gaiola à hora de comer, ou esperar pelo toque da campainha, porque sabiam que se fossem pacientes o avô do Filipe lhes dava mais água.

Um dia, quando o avô do Filipe estava muito entusiasmado a explicar mais uma das habilidades dos seus ratos, o Filipe perguntou:

— O avô não me podia dar dois ratos? Estou quase a fazer anos...

A mãe do Filipe deu um grito:

— Era o que faltava! Já sei como essas coisas são, depois quem acaba a dar de comer aos ratos, e a limpar a gaiola, sou eu.

— Ó mãe, deixe lá, deixe lá, prometo que trato de tudo, e vou treiná-los tão bem, tão bem, que até vão ajudar a mãe a pôr a mesa.

O avô deu uma gargalhada.

— Se conseguires que ponham a mesa, levo-te para o meu laboratório e ficas lá como meu ajudante.

A mãe do Filipe também riu, mas disse ao filho:

— Filipe vou deixar que o avô te traga dois ratinhos, mas tens de os tratar bem. Primeiro, porque eles merecem, coitados, e depois porque se sobrar para mim, garanto-te que voltam no mesmo dia para o laboratório.

O Filipe ficou todo contente e quando chegaram a casa foi logo arrumar uma mesa que tinha no quarto, para que ali coubesse a gaiola quando os seus ratinhos chegassem.

E, três dias depois, chegou não uma gaiola, mas duas gaiolas! Uma era a escola dos ratinhos, explicava o bilhete do avô, e vinha vazia, e a outra era a verdadeira casa, lá dentro estavam os ratinhos, com os olhos muito redondos e escuros, bigodes compridos, e narizes cor-de-rosa que tremiam, como que a apanhar todos os cheiros do ar.

O Filipe ficou muito tempo sentado a olhar para eles. Queria pôr-lhes um nome que fosse mesmo bom, não um nome ao calhas que pudesse ter sido dado a qualquer rato (*como as pessoas que chamam Bobi aos cães, só porque não estão para puxar pela imaginação*).

Depois de os ver a brincar e a comer o bocadinho de queijo que colocara na gaiola, decidiu:

— Tu és o Abracadabra, porque pareces ser muito esperto, disse ele ao rato que parecia muito despachado, e tu és o Comilão, porque desde que chegaste que não páras de comer.

Os ratos pareceram ficar contentes com o nome, e nessa mesma tarde o Filipe decidiu começar a treiná-los. Se tinham de pôr a mesa para ajudar a mãe, era preciso despachar o assunto.

Começou pelo Abracadabra. Tirou-o da gaiola casa, com muito cuidado porque estava com medo que ele lhe mordesse, mas o Abracadabra quase que parecia que se ria, e não mostrou os dentes. Depois meteu-o na gaiola escola, e explicou-lhe:

— Abracadabra olha com atenção para aqui, isto é um garfo e serve para comer.

E lá passou meia hora a repetir que aquilo era um garfo e de que lado do prato é que se colocava. Depois aproveitou também para o ensinar a pôr-se nas patinhas de trás e a pedir mais queijo.

Mas o Abracadabra ao fim de um bocadinho estava cansado da escola e só queria era brincar (*como também acontece a muitos meninos*). Por isso, em vez de olhar para o garfo e prestar atenção ao que o menino lhe estava a ensinar, olhava para a roda que tinha no jardim de casa e imaginava-se a dar voltas e voltas e a gritar «uiii».

— Estás mais distraído do que eu nas aulas, Abracadabra. Vou pôr-te na gaiola de novo, e tirar o Comilão.

Mas quando o Filipe estava a abrir a portinha para o pôr lá dentro, a mãe chamou-o para lanchar e ele teve de ir.

O Abracadabra foi logo ter com o Comilão e disse-lhe baixinho:

— Quando ele te mostrar uma coisa de metal com uns dentes, diz logo «garfo». Ao que parece comem com aquilo — não sei
por que é que não comem com as mãos como nós.

Por isso, mal o Filipe pôs o Comilão na gaiola escola, e lhe
mostrou um garfo, e disse: «gar-fo», o ratinho repetiu de ime-
diato numa voz guinchada: «garfo». O Filipe deu saltos de contente:

— Que esperto que tu és! Muito mais esperto do que o teu
irmão. O avô nem vai acreditar. Tomá lá o teu queijinho *(que o Co-*
milão comeu de uma assentada) e vou-te já ensinar outra coisa.

E tirando uma colher do bolso mostrou-lha, e disse: «colher», «co...lher». O Comilão ouviu, mas já não queria perder
mais tempo com as lições e pôs-se a imaginar a correr para a roda
e a dar cambalhotas e mais cambalhotas.

Quando, finalmente, voltou para a gaiola casa, disse ao
Abracadabra:

— Obrigado mano, consegui dizer logo a tal palavra, e por
isso, vim mais depressa para casa e agora já podemos ir brincar.
Mas aviso-te já que ele amanhã vai ensinar-te a dizer «colher».

Nessa noite, quando a mãe veio dar um beijinho de boa noite
ao Filipe, o menino apontou para a gaiola e disse:

— Mãe, sabe que eu julgava que o Abracadabra era o mais
esperto —, aquele ali mais pequenino —, e afinal o mais inteligente é o Comilão —, aprendeu num instante a dizer garfo. Mas
ainda não consegue dizer colher.

No dia seguinte, e no outro, e no outro a seguir a esse,
o Filipe continuou a dar lições aos ratos, e todos os dias ficava baralhado. É que ora parecia que era o Abracadabra o mais
esperto, ora o Comilão.

Os ratinhos gostavam cada vez mais do Filipe, mas faziam um bocadinho de troça dele:

— Coitado, não é muito esperto, pois não mano? É que ainda não percebeu que nós falamos um com o outro, e que eu te conto o que aprendi na minha lição, disse o Abracadabra.

— Pois é, que estranho, deve achar que andamos para aqui o dia todo juntos e não contamos nada do que se passa na gaiola-escola. Depois fica todo baralhado e ora acha que é um de nós que é mais inteligente, ora outro, respondeu o Comilão, enquanto roía uma casca de queijo da Ilha.

E, realmente, o Filipe estava mesmo confuso. Até ao dia em que o avô veio jantar a sua casa e quis ver como é que estavam os ratos, e a experiência. Quando o Filipe o apresentou ao Abracadabra disse:

— Avô, isto é muito estranho, às vezes é o Abracadabra que aprende tudo muito depressa, parece que já acordou ensinado, mas a seguir é o Comilão que parece o mais esperto.

O avô riu muito.

— Filipe esqueceste-te que eles falam entre eles!

O Filipe olhou para o avô muito espantado:

— Falam, avô? Contam um ao outro o que aprenderam?

— Claro, como é que achas que os ratos sabem sempre onde está o queijo na cozinha, ou onde está a almofada com a espuma mais fofa, para a roubarem para os ninhos?

E depois pôs-lhe as mãos nos ombros e virou-o para a gaiola:

— Olha agora para eles, o que é que vês?

— Têm os bigodes a tremer, parece que estão a rir às gargalhadas, exclamou o Filipe, e começou a rir também.

Uns dias depois, estava ainda o Filipe a dormir, quando ouviu um grito de alegria da mãe:

— Não acredito Filipe, puseste a mesa do pequeno-almoço!

A cabeça do Filipe saiu de debaixo do edredão, como se fosse uma tartaruga, e pensou:

«Será que sou sonâmbulo? Pus a mesa, eu?»

E, de repente, uma ideia atravessou-lhe o pensamento a correr: «Espera aí? Será que a mesa foi posta pelo Abracadabra e pelo Comilão?». Olhou para a gaiola casa que continuava em cima da mesa e viu os dois ratinhos enroscados um no outro a dormir.

«Que estúpido, claro que não foram eles», disse para si mesmo. Mas quando olhou de novo viu que a porta da gaiola estava aberta e misturados com a palha tinham ficado muitos fiozinhos brancos de linho.

— Da toalha, claro!, disse saltando da cama, e chegando-se mais perto viu que o Abracadabra e o Comilão lhe estavam a piscar o olho.

Foi logo a correr contar à mãe:

— Vê mãe, não lhe disse que valia a pena o avô dar-me os ratos mais espertos do laboratório?

A mãe ficou muito contente, e entregou-lhe dois quadrados grandes de queijo:

— Dá-lhes isto e agradece em meu nome.

E foi o que o Filipe fez. E a partir desse dia a mesa era sempre posta pelo Abracadabra e pelo Comilão *(que estava cada vez mais gordo, com tantos prémios)*. ✳

A história da ovelhinha adotada

A Carmo veio a correr chamar a avó:

— Avó, avó, o senhor Jaime encontrou uma ovelhinha que não tem mãe e que chora muito.

A avó estava a limpar o canteiro onde tinha plantado hortelã e salsa para pôr na sopa de tomate que o avô fazia tão bem, mas pôs-se logo de pé.

— Coitadinha da ovelhinha. Será que se perdeu da mãe?, perguntou.

A Madalena, que chegou logo a seguir, trazia mais notícias:

— Não se perdeu, avó, a mãe dela ficou muito doente e morreu. O senhor Jaime diz que foi para o Céu das ovelhas, que tem pasto verde todo o ano, nunca fica seco, ao contrário do que acontece aqui no Alentejo, no verão.

— Então temos de lhe encontrar outra mãe que goste muito dela e que lhe dê de mamar, porque deve estar cheia de fome, disse a avó. E dando uma mão à Carmo e outra à Madalena foram a correr para o campo onde estava o rebanho.

— E se não encontrarmos outra mãe?, perguntou a Carmo, numa voz ofegante, porque correr e falar ao mesmo tempo não é fácil.

— O senhor Jaime tem uma ovelha que gosta muito de bebés, e como o filho dela já está mais crescido e come erva, vai pedir--lhe para tomar conta desta, respondeu logo a Madalena, que não gostava de ver a irmã preocupada.

Quando passaram o portão viram o senhor Jaime com a ove-lhinha ao colo, o pelo muito branquinho e os olhos com umas pes-tanas compridas. Chorava exatamente como um recém-nascido.

«A Carmo e a Madalena tinham toda a razão», pensou a avó.

— Posso pegar, posso pegar, imploraram as meninas em coro, e o senhor Jaime sentou-as num banco, e pousou-lhes a ovelha no colo, mas recomendou:

— Só um bocadinho, porque se fica com o vosso cheiro, depois a ovelha não a aceita. A coitada, fica convencida de que é uma menina e não um cordeirinho.

As meninas riram muito julgando que o senhor Jaime estava a brincar:

— Cheiro, senhor Jaime, mas nós não temos cheiro, tomamos banho todos os dias, disseram elas.

O senhor Jaime abanou a cabeça como quem diz que as meninas da cidade eram um bocadinho tontas:

— Toda a gente tem um cheiro seu. E as pessoas têm um cheiro, as ovelhas outro, e os cavalos ainda outro, e é assim com todas as espécies que Deus cá pôs na Terra, explicou ele.

A avó concordou:

— Não trazem sempre a almofada da mãe quando vêm ficar a casa da avó, porque dizem que tem «cheirinho de mãe»? As meninas abanaram que sim com a cabeça. Sim, a mãe cheira a mãe, e a avó cheira a avó — a Carmo sabia sempre se um casaco de malha era da mãe ou da avó pelo cheiro.

— Senhor Jaime, então tire-a já do nosso colo, disse a Madalena aflita, com medo de que a ovelha não adotasse a ovelhinha.

Mas a Carmo não a queria largar:

— Senhor Jaime, e se fossemos nós as mães da ovelha? Se lhe déssemos um biberão com leite, e a deixássemos dormir no nosso quarto?

O senhor Jaime ainda olhou para a avó, para ver se ela deixava, e a avó, para dizer a verdade, teve muita, muita vontade de deixar que as netas levassem a ovelhinha para casa, mas depois pensou melhor e disse:

— Não pode ser, queridas, depois vocês vão para a escola, e os pais e os avós vão para o trabalho, e ela não pode ficar sozinha em casa. Além disso, é muito mais feliz aqui ao pé das outras ove-

lhas, a brincar pelos campos com os borreguinhos todos, do que metida num andar na cidade.

O senhor Jaime passou a mão no seu bigode grande, e conseguiu distrair as meninas, para que não houvesse birras:

— Vamos lá levá-la à nova mãe, venham daí.

Desceram todos até ao rio, o senhor Jaime com a ovelha ao colo, e quando chegaram ao pé do rebanho mandou as irmãs ficarem ali quietas a ver.

Avançou muito devagarinho e pôs a ovelha bebé ao pé de uma ovelha gorda e falou-lhe ao ouvido. A ovelha grande olhou para a pequenina um bocadinho desconfiada, cheirou-a e abanou que não com a cabeça.

— Sei bem que não é tua filhinha, mas não tem mãe e precisa de uma mãe, e tu tens tanto leite..., disse o senhor Jaime, numa voz cantada.

A ovelha espetou a cabeça como se estivesse a perceber tudo o que o pastor lhe dizia. Depois voltou a cheirar a ovelha pequenina, e deu-lhe umas marradinhas com a cabeça (*como uma mãe faz quando segura um filho pelo braço para atravessar a rua)*. A seguir, o senhor Jaime pegou na teta da ovelha grande com uma mão e na ovelha pequenina com a outra, e fez correr um bocadinho de leite, e a ovelha pequenina começou a lamber deliciada.

— Ah, vês como ela gosta do teu leite, disse o senhor Jaime à ovelha grande, e a ovelha grande olhou com muita ternura para a pequenina, e começou a empurrá-la com a cabeça para a aconchegar.

O senhor Jaime foi recuando, com passos pequeninos, e quando chegou perto da avó e das meninas disse baixinho:

— Vamos mais para longe, que os bichos não gostam de ter gente a olhar para eles, e a avó e as meninas afastaram-se.

— Agora vamos embora para casa, aquecer-nos à lareira, e mais logo volto cá. Eu hoje durmo aqui ao pé delas, porque a pequenina pode perder-se e a ovelha não dar por isso, ou vir aí uma raposa esfomeada, mas amanhã vão ver, já não conseguem distinguir a mãe com a filha adotada, das outras mães com os seus filhos.

Nessa noite a Carmo e a Madalena rezaram pela ovelha que tinha morrido, e pela ovelhinha que ficara sem mãe, mas também pela ovelha que adotara a pequenina como se fosse sua, e a avó explicou-lhes que o que fazia as mães serem boas mães e os pais serem bons pais era quando os filhos entravam para os seus corações.

No dia seguinte, voltaram ao campo e quando olharam para o rebanho só viam os cordeirinhos pequenos a brincarem uns com os outros. Quando as mães faziam um *méee...* especial, o filho ia a correr ter com ela, e depois de ouvir o recado, ou fazer a tarefa que a mãe o mandara fazer, voltava para brincar com os amigos. E de tempos a tempos, como se tivessem um relógio na barriga, lá iam todos mamar.

A Carmo apontou para uma e disse:

— É aquela a ovelhinha adotada.

E a Madalena apontou para outra:

— Não é nada essa, é aquela, a que tem a mancha no focinho.

O senhor Jaime só se ria.

— Não é nenhuma dessas, meninas. Agora só eu sei qual é, porque até a mãe que a adotou nunca mais se lembra, nem se vai lembrar que aquela ovelhinha não nasceu da barriga dela.

A Madalena e a Carmo ficaram um bocadinho aflitas:

— Senhor Jaime, e a ovelhinha pequenina nunca se vai lembrar da mãe que morreu?

O senhor Jaime apontou para o céu:

— De vez em quando vai olhar para o céu e contar à mãe lá de cima o que andou a fazer durante o dia. E a mãe lá de cima vai ouvir o chocalho lindo que lhe vou pôr ao pescoço e vai ficar muito contente por a filha andar por aqui em tão boa companhia.

A Madalena e a Carmo ficaram a pensar, e à noite, quando estavam a rezar a Nossa Senhora lembraram-se que também tinham uma mãe que estava no céu a olhar por elas. ⭐

Os sete primos e a aventura na quinta

vó chamou-os e os sete primos vieram a correr e contou-os, um, dois, três, quatro, cinco, seis, sete. Estavam todos. Todos os seus netos, todos os primos juntos, como gostavam tanto de estar nas férias da Páscoa.

Disfarçaram a vontade de rir. Tinham sempre vontade de rir, quando antes da hora do banho, ao fim de um dia a brincar nos arrozais e nos celeiros, a avó confirmava que nenhum deles se perdera durante as brincadeiras.

— Vocês fazem troça, mas o que é que eu dizia aos vossos pais se algum se tivesse perdido?, perguntou a avó, com um sorriso grande na cara.

O Pedro, o Duarte, o Miguel, a Mariana, a Marta, a Sofia e o Vasco, era assim que se chamavam os primos, do mais velho para o mais novo, (*o que quer dizer por ordem decrescente de idades, só para também aprenderem umas palavras mais difíceis!*), encolheram os ombros.

— Avó, como é que nos podíamos perder? Conhecemos esta quinta desde bebés, disse o Pedro.

— Nós até entramos na adega por aquelas brechas fininhas em que não cabe nenhum adulto, explicou orgulhoso o Miguel.

— E nem temos medo das vacas, nem dos porcos, nem de subir aos fardos de palha, acrescentou a Mariana, enquanto espirrava três vezes de seguida.

A avó riu:

—Pois que andaram na palha já percebi eu, pelos teus espirros. Vão mas é tomar banho...

Os meninos dispararam pelo corredor fora, para se enfiarem na banheira e no duche.

— Vocês nunca mais aprendem, sempre a protestar com a contagem. Um dia a avó começa a ser como os outros adultos e só nos deixa andar aqui no pátio, protestou a Marta, enquanto enfiava a cabeça do Vasco debaixo do duche para lhe tirar bagos de arroz do cabelo.

— Ainda por cima hoje! Hoje que temos uma grande aventura à noite, e só queremos que a avó adormeça depressa e durma a sono solto. Se fica irritada, ainda começa para aí a andar pelo corredor, ou vem ver se estamos mesmo metidos na cama, acrescentou a Mariana, enquanto vestia o pijama.

Os primos olharam uns para os outros horrorizados, isso é que não podia ser, a aventura tinha demorado tanto tempo a planear...

A Marta viu a cara com que estavam, e voltou a avisar:

— Agora não se armem em meninos bonitos, todos direitinhos à mesa a comer tudo o que está no prato, e sem discutirem uns com os outros por causa da sobremesa.

O Vasco, que era o mais novo, ficou espantado:

— Marta, por que é que não nos podemos portar bem?

— És muito tonto, disse-lhe o Miguel, que era o irmão mais velho e às vezes gostava de o lembrar disso.

— Porque a avó desconfia, Vasco, disse o Pedro, que era o primo mais velho e gostava de defender os mais pequenos.

Todos concordaram. A avó desconfiava mesmo, se aceitassem a fatia do seu gelado de morango (*que era o melhor do mundo!*), sem pedirem mais, ou se não se queixassem de que a fatia do outro era maior do que a sua.

— Mas então a que horas é que nos encontramos à porta da horta?, perguntou o Miguel.

— À meia-noite, tem de ser à meia-noite, ponham o relógio, ou o telemóvel, a despertar, ou façam turnos, não quero saber, mas à meia-noite temos de lá estar, respondeu a Mariana.

Apesar de se terem avisado uns aos outros, a verdade é que a avó desconfiou um bocadinho do bom comportamento dos netos ao jantar.

— Ou me engano muito ou vão fazer uma aventura hoje à noite, disse ela ao avô, quando os meninos já tinham ido para a cama.

— Claro que vão, disse o avô a rir. O Miguel veio pedir-me uma corda, hoje à tarde, e vi o Duarte ir lá abaixo à aldeia e voltar com um saco, onde se viam perfeitamente pilhas. São de certeza para as lanternas, acrescentou com uma gargalhada.

A avó pegou nas agulhas de tricô, e começou a tricotar muito depressa, enquanto falava:

— Vão de certeza explorar o labirinto da nascente, não achas?, perguntou ao avô.

— De certeza absoluta, porque os pais deles estão sempre a falar de como em pequenos lá entraram, às escondidas. Sabia que, mais dia, menos dia, os iam imitar.

— Os pais imaginam sempre que os miúdos não estão a ouvir, será que nós também éramos assim tão ingénuos?, perguntou a avó com uma gargalhada.

— Devemos ter sido, porque não demos mesmo por nada quando os nossos filhos fizeram essa aventura...

— Mas achas que devíamos impedir as crianças de ir?, quis saber a avó, um bocadinho ansiosa.

— Claro que não, são sete, entre eles há de haver algum com juízo, ou têm juízo à vez que ainda é melhor. E sabemos muito bem que não é perigoso, respondeu o avô.

A avó riu:

— Que idade tinhas quando fizeste aquele caminho?

— Não devia ter mais de oito anos, acho eu. Foi tão emocionante. O barulho da água a correr, o foco da lanterna na parede, os ruídos que apareciam de repente, os bichos escorregadios que nos passavam por cima dos pés...

— Ai meu Deus, não digas mais nada senão não os deixo ir...

O avô deu uma gargalhada:

— Temos é de nos ir deitar, porque aposto que a hora de encontro é à meia-noite. Ainda bem que hoje é noite de lua-cheia.

À meia-noite, pelas badaladas do sino da igreja da aldeia, os meninos estavam todos no lugar combinado.

O Pedro abriu o mapa, virou sobre ele a lanterna e explicou aos outros, pela milionésima vez, o caminho a seguir.

— Tens a corda atada à cintura para se for preciso escalar alguma coisa?, disse o Pedro ao Miguel, que acenou que sim com a cabeça.

Em fila indiana, atravessaram os campos molhados pelo orvalho, até chegarem à portinha de ferro no muro, que estava mesmo ao lado da fonte por onde corria uma água cristalina.

— Duarte tens a lâmina?, perguntou a Marta.

O Duarte avançou para a porta, e com a ajuda do Miguel, tentaram a lâmina na fechadura, que de repente cedeu.

— Boa, não foi difícil de abrir, exclamou a Sofia.

A Mariana foi a primeira a entrar:

— Há aqui uma bordinha, podemos seguir por ela para não ficarmos com os pés molhados, gritou.

O pior é que o túnel era muito baixinho, e tiveram de andar quase de gatas.

— Não façam barulho, porque desconfio que os ladrões da fruta da horta fazem este caminho, disse o Pedro num murmúrio.

E todos estremeceram um bocadinho com a ideia de se poderem cruzar, naquele túnel tão apertado com ladrões. Andaram, andaram, ou melhor gatinharam e gatinharam, até chegarem a um tanque.

— Vamos ter de entrar na água, disse o Pedro. Atem os sapatos com os atacadores e coloquem-nos à volta do pescoço, ordenou.

— E tirem as meias, não se esqueçam, explicou a Marta, porque a Mariana já se preparava para entrar dentro do canal de água com elas.

— Esperem, esperem!!!, exclamou o Miguel. Ninguém entra aí dentro, sem vermos primeiro se é fundo... imaginem que é um poço e ficamos presos lá dentro.

Um arrepio de medo fez tremer os primos. Um poço? Presos lá dentro? Que horror.

— E como é que vamos saber se é fundo ou não, perguntou a Sofia, já decidida a voltar para trás.

O Miguel tirou do bolso umas pedras, e explicou:

— Vou atirar uma pedra e ficamos a ouvir o barulho. Se ouvirmos o barulho da pedra a bater no chão é porque não é fundo, se não ouvirmos barulho nenhum é porque é muito fundo, e muito perigoso.

Todos acharam que o Miguel era muito esperto, e por sorte *plim*, o barulho da pedra a bater lá em baixo, ouviu-se perfeitamente.

— Boa, vamos lá então, mandou o Pedro, que como vocês já perceberam gostava muito de mandar, e por acaso até mandava bem.

E os primos todos juntos lá atravessaram pelo canal subterrâneo que os levaria a uma clareira no meio da floresta. No caminho apanharam um grande susto, mesmo muito grande, quando um bando de morcegos passou por cima deles. Aí, nenhum deles conseguiu deixar de gritar, mas quando acenderam as lanternas para ver o que se passava, os morcegos fugiram.

— Ainda pensei que fosse o ladrão da fruta, disse o Duarte.

— A passar por cima da tua cabeça com maçãs, não, troçaram a Marta e a Sofia.

— Desculpem lá, mas tiro o chapéu ao ladrão que conseguir fazer este caminho com a fruta ao colo, acrescentou a Mariana, mas mais ninguém queria falar de ladrões naquele túnel frio.

O Pedro mudou de assunto:

— Devemos estar quase a chegar. O mapa dizia que a saída do canal não estava tapada, por isso tarda nada estamos lá fora.

Só que, quando chegaram ao fim perceberam que alguém tinha

fechado a saída com uma grade, e nem o mais pequenino deles conseguia passar para o outro lado.

Os meninos ficaram brancos como a cal:

— Agora como é que saímos daqui?, exclamou a Marta.

O Vasco reparou que havia um outro corredor no túnel e, muito corajoso, partiu para o explorar. De repente gritou, com uma voz alegre:

— Venham, venham, descobri aqui uma maneira de sair.

Ainda bem que tinham trazido a corda, porque a saída obrigava a escalar um muro grande. O Miguel foi o primeiro a subir, e quando chegou lá acima, atou a corda muito bem atada a uma árvore e deixou cair a outra ponta para o buraco. E um a um, subiram todos.

Ficaram tão contentes de se verem cá fora, que se abraçaram muito, e sentaram-se num tronco de árvore a comer os chocolates que a Sofia trouxera para cada um.

Entraram em casa com muito cuidado para não fazer barulho, e adormeceram que nem umas pedras.

A avó claro que ainda estava acordada quando eles chegaram e pela frincha da porta do seu quarto, contou: um, dois, três, quatro, cinco, seis e sete!

«Ufa, que alívio!, não aconteceu nada, agora já posso ir dormir também», pensou ela, muito contente. ☾

Histórias para guardarem o passado no coração

As histórias:

A menina desobediente

Era uma vez uma menina que era muito desobediente.

A mãe dizia: «Ana não pintes as paredes», e a menina subia a um banco com um lápis de cera na mão e dizia «Agora vou pintar aqui em cima!».

É claro que a menina levava um açoite, e às vezes ficava sentada numa cadeirinha no quarto, mas não servia de nada porque quando saía do castigo, subia outra vez para a cadeira e voltava a pintar a parede. Só que de uma cor diferente. E quando a mãe aparecia muito, muito zangada, a menina respondia:

— A mãe só me proibiu de pintar com o lápis de cera azul, e este é encarnado.

Um dia a mãe já irritada disse:

— Não sei de onde vem essa teimosia toda! Nunca, mas nunca fui tão desobediente como tu!

A mãe estava cansada, e arrastou a filha pelo bibe até casa da avó que morava mesmo ao lado.

— Mãe, veja lá se consegue pôr algum juízo na cabeça da sua neta, que eu vou limpar a parede que ela sujou. Não sei por que é que ela não me obedece. Nunca, mas nunca, vi uma criança assim, repetiu.

— Não vais nada limpar a parede, disse a avó com uma voz a que nem a Ana, nem a mãe da Ana se atreveram a desobedecer.

— Vamos ali à sala. Sentem-se, ordenou.

A avó abriu o albúm e a Ana não queria acreditar:

— Avó, a avó tirou-me fotografias quando eu estava a pintar a parede da mãe?, perguntou.

E a avó virou a página.

— Avó, não acredito, a avó tirou-me uma fotografia a deitar água para fora da banheira?

A avó virou outra página.

E a Ana abriu a boca espantada, sem sequer reparar que a mãe continuava calada.

— Não vi que a avó estava ao pé de mim quando meti a roupa toda na mala para me ir embora para a América Latina.

A avó continuou a virar as páginas.

— Avó, a avó tem câmaras de filmar lá em casa? Como é que pode ter uma fotografia da comida toda espalhada no chão, quando fiz aquela birra porque não gostava do molho, perguntou a Ana, já muito aflita.

A avó não respondeu, e a Ana lembrou-se de que a mãe estava mesmo ali ao lado.

— Mãe, foi a mãe que deu estas fotografias à avó?

A mãe, de repente, desatou a rir.

— Ana, essa menina não és tu! Sou eu.

A Ana abriu a boca tanto, tanto, tanto, que entrou uma mosca. ✹

O armário dos sapatos mágicos

Fecha os olhos, mesmo fechados com força, e imagina um armário. Sim, um armário grande, muito, muito grande. E lá dentro, prateleiras e prateleiras cheias de sapatos. Sapatos de menina e sapatos de senhora, com saltos altos, médios, e baixinhos. E de tantas, tantas cores que quando se olha de repente, parece que está ali guardado o arco-íris.

Agora abre os olhos. Primeiro, a luz faz confusão, mas aos bocadinhos os teus olhos habituam-se. Já consegues ver bem? O que é que está aí à tua frente? Um armário grande, muito, muito grande, não é? Abre a porta, e agora o que é que vês? Prateleiras e prateleiras cheias de sapatos, não é? Sapatos de menina e sapatos de senhora, com saltos altos, médios e baixinhos. E de tantas, tantas cores que de repente, parece que encontraste mesmo o arco-íris.

— É mesmo isso, avó, mesmo isso, gritou a Marta, e esticou as mãos para as prateleiras.

— De quem eram estes sapatos todos, avó, perguntou entusiasmada.

A avó riu muito:

— São todos meus.

— Os de salto alto, de salto médio e de salto baixinho?

— Todos. E a tua mãe também já os usou. Sabes que cada par de sapatos pode levar-te a um sítio diferente?

A Marta olhou para os sapatos, um bocadinho preocupada:

— E esse sítio é muito longe de casa?

— Às vezes é um sítio do outro lado do mundo. Estás a ver estes muito quentinhos? São para festas em casa de esquimós, que vivem em *igloos*.

— Acho que agora não me apetece ir até lá, avó.

— Olha, a tua mãe gostou muito de visitar os esquimós. Ado-rou a festa que eles fizeram, mas chegou a casa cheia de fome por-que não gostava de peixe cru. Tive de lhe fazer salsichas a meio da noite. Mas disse que eram pessoas muito simpáticas. E ainda hoje falam no skype.

A Marta estava mesmo espantada. Era verdade que a mãe às vezes falava com uns amigos esquimós no computador.

— E estes, avó?, disse a Marta a apontar para uns sapatos brancos de salto baixinho mas com um lacinho dourado muito bonito.

— Esses são do casamento do rei e da rainha das fadas. A tua mãe calçou-os, sem saber aonde é que a iam levar, e acabou numa festa linda. Até fiquei preocupada porque nunca mais vol-tava para casa. À meia-noite apareceu uma fada no meu quarto a dizer que a tua mãe pedia para ficar até mais tarde porque se es-tava a divertir muito. Nessa altura ela não tinha ainda telemóvel, por isso, não podia enviar mensagens.

De repente, a Marta puxou os sapatos para fora do armário, e começou a fazer-lhes festas com as mãos, mas estava sem cora-gem para os pôr nos pés - a festa com certeza já acabara há muito tempo, e se calhar agora os sapatos já não a levariam para o país das fadas. E se se enganassem e fosse parar ao país dos monstros, o que é que ela faria?

— Avó, tenho medo de ir sozinha, confessou. Tive uma ideia: e se avó calçasse um e eu o outro, dávamos as mãos e íamos jun-tas. Pelo menos se correr mal, temos companhia, sugeriu.

A avó pensou um bocadinho e depois disse:

— É boa ideia! A tua mãe nunca me convidou para ir com ela, mas fico mais sossegada se for contigo.

Cada uma calçou um sapato, o da Marta ficou-lhe enor-me e o da avó um bocadinho pequenino porque o pé da avó estava mais gordo, e de repente... aterraram numa praia com areia muito branca.

— Que disparate, disse a avó. Então isto são lá sapatos para vir para a praia, o que é que se terá passado?!?

— Avó, até dá jeito, porque agora temos de andar com um pé descalço e se fosse num campo de pedras ou de catos não conseguíamos ir a lado nenhum só com um sapato cada uma, disse a Marta.

— Que neta tão esperta, disse a avó, e mal tinha acabado de dizer isto, viu que no outro canto da praia ardia uma fogueira, e à volta da fogueira dançavam uns índios com umas penas coloridas na cabeça.

Olharam uma para a outra e não hesitaram em ir ter com os índios, apresentaram-se fazendo alguns gestos (*muito divertidos*) e logo logo começaram também a dançar, e dançaram a noite toda. Quando a lua já estava lá em cima no céu e a Marta mal se aguentava em pé, porque estava cheia de sono, a avó mandou-a calçar outra vez o sapato, e voltaram direitinhas para casa.

Mal chegaram ouviram a voz da mãe da Marta a chamar por elas, com a voz já rouca.

— Estamos no quarto do armário dos sapatos, gritou a avó, e a mãe entrou pelo quarto adentro, pegou na Marta ao colo e disse com um ar muito zangado:

— Mãe, apanhei um susto, cheguei a casa e não encontrei ninguém.

A avó apontou para os sapatos brancos que tinham acabado de tirar dos pés:

— Ai, que coisa, então não achas que a Marta também não tem o direito de viajar nos sapatos?

A mãe que andava sempre atarefada de um lado para o outro, parou de repente e olhou para o armário onde estavam os sapatos de salto alto, médio e pequenino, e exclamou contente:

— Tinha-me esquecido completamente dos sapatos mágicos!

A Marta abraçou-a:

— A avó contou-me que a mãe foi com estes sapatos ao casamento dos reis das fadas, mas nós fomos a uma festa de índios, na praia.

O pai que tinha acabado de entrar encolheu os ombros, e protestou:

— Estou à meia hora no carro à espera! Foste à praia, a uma festa de índios, no meio do inverno? Que disparate, só me faltava mais uma das histórias da tua avó.

Mas quando pegou na Marta ao colo, ficou cheio de areia, que lhe caía dos cabelos, do vestido e dos pés.

— Areia?!, disse o pai, espantado. E ao mesmo tempo que pedia desculpa à avó por ter sido um bocadinho mal educado, fez uma festinha no cabelo da filha e sorriu. Já não digo nada, porque nesta casa passam-se sempre coisas muito, muito estranhas. Vamos lá embora e contas-me tudo sobre essa festa no carro.

A Marta foi dizer adeus e obrigada a avó e ao ouvido dela pediu:

— Amanhã podemos ir a outro lado?

E a avó murmurou:

— Já vi ali umas botas de cavaleiro, acho que as vamos escolher, o que te parece?

A Marta abanou que sim com a cabeça. A partir de agora estas viagens iam ser um segredo só delas. ⭐

A menina que tinha birras na boca

ra uma vez uma menina que tinha birras na boca. Uma das birras estava cá muito à frente, mesmo na ponta da língua, outra a meio da língua e a outra lá ao fundo da garganta.

Sempre que a mãe dizia à menina:

— Vai para o banho!

E a menina estava a brincar, e não lhe apetecia deixar as bonecas, aparecia uma birra.

E quando a mãe dizia:

— Não podes comer mais gelado!

E a menina queria muito comer o gelado de morango da avó, lá saía da garganta outra birra.

O pior é que quando tinha birras na boca, a menina não conseguia falar, nem responder ao que as pessoas lhe perguntavam, e por isso a mãe achou que a filha não ouvia bem e decidiu levá-la ao médico.

Quando chegaram ao consultório, o doutor perguntou à menina:

— Então qual é o problema, o que é que te dói?

A menina respondeu muito baixinho:

— Nada, tenho é birras na boca.

O médico deu uma gargalhada, como às vezes os crescidos fazem quando acham graça a uma coisa que não tem graça nenhuma, e a menina ficou com uma birra tão grande na boca, mas tão grande, que começou a deitar fumo pelo nariz.

Quando a mãe viu o fumo a sair, ficou muito aflita:

— Doutor, doutor, veja lá o que é que ela tem, porque até deita fumo.

O médico sentou a menina na marquesa, e pediu-lhe para abrir a boca. A menina disse que não com a cabeça, e pensou que o médico não devia ter percebido que se ela abrisse a boca, a birra que estava na pontinha da língua e a birra que estava a meio da língua e a birra que estava lá atrás iam sair todas ao mesmo tempo, e depois o médico e a mãe zangavam-se com ela por fazer tantas birras.

O médico decidiu então, olhar para dentro dos ouvidos, com aquele aparelho que os médicos têm com uma luz para ver os sítios dentro de nós que estão às escuras, e qual não foi o seu espanto quando encontrou lá dentro um fio de letras.

Começou a puxar com muito cuidado para não magoar a menina, e saíram frases inteiras: «Abre a boca», dizia uma, mesmo muito fresquinha; e atrás dela outra, que gritava «Vai para o banho», num novelo de palavras que nunca mais acabava.

A mãe teve de tapar a boca para não dar um grito, e o médico ficou muito sério. Estava ali uma doença mesmo esquisita e rara.

— Desculpa por não ter acreditado, mas tens mesmo birras dentro de ti, confirmou o médico.

A menina fez um sorriso muito contente, e o fumo deixou de sair pelo nariz. Finalmente acreditavam nela.

— Coitadinha da minha filha, onde terá apanhado estas birras?

— Não sei, não sei, algum mosquito que lhe mordeu.

— E como é que a tratamos?, perguntou a mãe ansiosa, fazendo muitas festinhas na cabeça da pequenina. Enquanto isso, a menina sentiu que a birra lá do fundo da garganta também se estava a ir embora.

— Não sei muito bem, mas vamos experimentar uma coisa, disse o médico, e puxou de um bloco e fez um desenho de uma boca a falar.

A menina olhou para o desenho, e disse:

— Já estou muito melhor obrigada, senhor doutor.

O médico ficou todo contente e explicou à mãe:

— Enquanto ela não estiver melhor dos ouvidos, tem de fazer desenhos para lhe explicar o que quer que ela faça. Se quer que vá para o banho, faz o desenho de uma banheira, se quer que coma, desenha um prato...

A mãe agradeceu muito, mas foi para casa um bocadinho desconfiada de que quando os desenhos fossem para mandar a menina para a cama, a menina ia ficar com uma doença nos olhos e não ia conseguir ver o desenho. ☾

O livro de receitas da avó Julieta

(Vou lembrar-me sempre de si, avô!)

O António chegou a casa da avó e perguntou:

— A avó sabe fazer sonhos? Comi uns em casa do Manel e apetecia-me tanto, mas tanto, comer mais.

A avó estava no computador a fazer contas da empresa onde trabalhava, mas levantou a cabeça e tirou os óculos de ver ao perto (*porque os olhos das pessoas com a idade ficam cansados e precisam de ajuda para trabalhar*), e pensou um bocadinho antes de responder:

— Saber, saber... não sei, António, mas vi a minha mãe fazê--los muitas vezes.

O avô parou de montar a prateleira na estante, e abanou a cabeça fingindo-se entristecido:

— Devia ter exigido que a tua avó fizesse um curso de cozinha antes de casar comigo. Como é que não sabe fazer sonhos!?! Como é que alguém festeja o Natal sem sonhos, diz-me lá?

A avó desatou a rir e disse com um ar brincalhão:

— Fácil, casa com um homem que sabe fazer sonhos.

O António olhou para o avô, com os olhos muito abertos:

— O avô sabe? Que pinta. Pode fazer-me uns sonhos agora, agora mesmo?

O avô encolheu os ombros.

— Estou para aqui a falar assim, mas há anos que não abro o livro de cozinha da minha mãe, que sabia fazer os melhores sonhos que já comi até hoje, mas posso tentar.

— Os sonhos da avó Julieta eram mesmo bons, disse a avó, e até se esqueceu por um bocadinho das contas que tinha de fazer para o trabalho. Será que dá para fazer na *Bimby*?, que é uma máquina mágica de comida, segundo me dizem.

O avô encolheu os ombros outra vez:

— A minha mãe era capaz de vir do Céu a gritar, se me visse a usar máquinas para fazer a receita dela. Não, vamos fazer mesmo à mão, como ela fazia.

A avó e o António foram atrás do avô para a cozinha, e a avó abriu a gaveta onde guardava os aventais, alguns até já tinham teias de aranha porque não eram usados há muito tempo, e distribuiu um avental para cada um.

— Ainda bem que a minha mãe me fez um enxoval com estas coisas, disse a rir.

O António franziu o nariz à palavra enxoval, e a avó explicou-lhe que era uma arca cheia de lençóis, panos e camisas de noite que as meninas levavam para a casa nova quando se casavam.

O António pensou por momentos que se mudasse de casa, queria era levar a *Wii*, a televisão, o computador, os carros e os livros, pouco lhe importavam lençóis bordados e panos com letras, mas nem teve tempo de dizer nada porque o avô o chamou para ver um caderno com folhas amarelas, já muito velhinho.

— Lê lá isso, enquanto eu vou buscar os ingredientes, disse ele ao António que já conseguia ler bem.

O António endireitou as costas e preparou-se para fazer boa figura, mas, *ups*, que letras eram aquelas, não conseguia perceber nem uma...

A avó veio em sua ajuda:

— A avó Julieta tinha uma letra muito bonita, mas era pequenina, e difícil de ler. Se fosse hoje escrevia isto tudo no computador, imprimia e era muito mais fácil.

O avô, enquanto abria o pacote de farinha, riu:

— Aposto que o António já não vê interesse nenhum em imprimir a receita em papel. Via-a no ecrã de um Ipad, ou num filme do *youtube*...

— Ó avô, quando eu for grande vai ser muito melhor do que isso — tenho um robô especial que faz essas coisas todas, e eu fico no sofá à espera que ele me sirva os sonhos.

A avó, a brincar, puxou-lhe as fitas do avental como se o fosse estrangular:

— Então o futuro já chegou, meu menino, e o robô são os teus avós e os teus pais, porque quantas vezes é que te levam o comer já todo feitinho ao sofá, com a desculpa de que, coitadinho, está muito cansadinho...

O António soltou-se da avó, e pondo o dedo na farinha pintou-lhe o nariz de branco:

— Deixe lá avó, quando a avó for velhinha, levo-lhe o pequeno-almoço à cama.

Foi a vez da avó rir muito:

— Quero ver! Aposto que em vez das minhas torradas com manteiga e doce, e do meu chá, me vais dar uns comprimidos para substituir a comida, porque é mais fácil...

— E depois nem é preciso lavar a loiça, completou o António às gargalhadas.

O avô fingiu que os fulminava com o olhar:

— São mesmo patetas vocês os dois! Preciso de ajuda aqui. António pesa isto na balança, digam-me lá quanto é que é de açúcar...

Durante meia hora, a avó e o António descobriram que era mesmo divertido estarem todos na cozinha a fazer sonhos.

E quando os comeram, em frente à lareira, contaram muitas histórias da avó Julieta. E o António reparou, várias vezes, que os olhos do avô estavam cheios de lágrimas. A avó, sem o avô reparar, murmurou ao ouvido do neto:

— Não fiques aflito António, o avô está comovido porque se está a lembrar da mãe, mas não está triste. Quando nos lembramos das pessoas elas voltam a estar vivas.

O António chegou-se mais perto do avô, encostou a cabeça ao braço dele e disse-lhe:

— Sempre que comer sonhos vou lembrar-me sempre de si, avô. ✳

O menino Francisco Toca de Toupeira

Era uma vez um menino que se chamava Francisco Toca de Toupeira. Era um nome estranho mas, para dizer a verdade, quando a professor de manhã lia a lista dos nomes de todos os colegas da aula, o Francisco até achava que tinha muita sorte. Preferia mil vezes Toca de Toupeira a Cholé, Comilão ou Camelo, como o Pedro Camelo que se sentava na carteira mesmo ao seu lado.

Mas um dia o avô, que gostava muito de dar passeios na mata, ensinar o nome das flores e das árvores, de contar histórias de guerreiros corajosos e de espadas mágicas, perguntou-lhe:

— Francisco já alguma vez te levei a casa dos antepassados da tua avó e da tua mãe?

O Francisco pensou um bocadinho e disse:

— Aquele castelo lá em cima na serra, onde moraram os nossos antepassados mouros?

O avô abanou que não com a cabeça:

— Esses são os antepassados do lado do teu pai, e eram muito espertos. Vês como é que passado tantos séculos e séculos o castelo está lá em cima direitinho, capaz de aguentar o ataque de quem o queria conquistar?

O Francisco pôs a mão na espada que trazia sempre presa ao cinto, e sentiu-se orgulhoso.

— Também quero lutar como eles, e cortar muitas cabeças, disse.

A avó que estava sentada a escrever no computador, e que parecia distraída, mas nunca estava, levantou a voz:

— Já há gente demais a cortar cabeças filho, é melhor pensares noutra profissão.

Mas o avô não se deixou distrair:

— Estava a falar-te dos antepassados do lado da tua mãe, e desta tua avó, mas já percebi que ainda ninguém te falou dos Toca de Toupeira. É hoje que te vou explicar tudo. Calça as botas de borracha, veste o casaco e vamos, que a casa deles ainda é longe.

O Francisco deu a mão ao avô, desceram as escadas e andaram, andaram, andaram até à floresta.

E pelo caminho o avô ia contando:

— A família dos Toupeiras é uma família de arquitetos em tempos de paz, e de guerreiros, em tempo de guerra. São morenos, de nariz arrebitado, orelhas pequeninas e muito pitosgas...

— Pitosga quer dizer cego, avô?

— Pitosgas quer dizer que veem mal. Mas eles não precisam de usar muito os olhos porque vivem em túneis escuros.

E fazendo um sorriso, daqueles sorrisos muito queridos que os avós especiais fazem, acrescentou:

— Francisco, nunca reparaste que a tua avó anda sempre a queixar-se de que não vê nada sem os óculos? E a tua mãe usa lentes de contacto, e sem elas nem consegue ler as legendas na televisão, não é?

O Francisco lembrava-se que, no dia anterior, a mãe não lhe lera uma história à noite porque os olhos estavam muito

inflamados, e pensando bem, hoje quando o levara a casa dos avós estava com os óculos, porque não foi capaz de pôr as lentes.

Mas o avô não lhe deixou mais tempo para memórias.

— Olha, já estamos a chegar.

O Francisco e o avô afastaram os ramos das árvores que tapavam o caminho, e lá estava uma clareira, um espaço grande com areia a toda a volta, como se fosse uma praia no meio da mata.

— Faz como eu, disse o avô, e pousando o cajado com que andava sempre, deitou-se no chão. Com o dedo em frente da boca, em sinal de silêncio, apontou para um montezinho de areia, com um buraco disfarçado por paus e ramos.

— É uma toca de toupeira?, perguntou o Francisco muito excitado, enquanto se deitava ao lado do avô.

— Shiuuuu Francisco, senão os teus primos toupeira fogem, explicou o avô.

E o Francisco dobrou os braços e pousou a cara entre as mãos, para ver tudo o que se passava.

— É esta a casa dos nossos antepassados?, perguntou o Francisco, desiludido. Afinal os avós do pai tinham sido conquistadores e viviam no Castelo dos Mouros, e agora descobria que os avós, dos avós, dos avós do lado da mãe viviam em tocas, debaixo do chão?

— Francisco, não se julgam as pessoas pelas aparências, nem pelas casas... Estes são teus parentes próximos, são daqui desta região, mas há Tocas de Toupeira em todos os países da Europa, sabias que a avó tem primos em Inglaterra? Mas não faças barulho. Repara, está ali a aparecer a cabeça de uma.

O Francisco viu aparecer uma toupeira e depois outra. Não as achou nada parecidas com a mãe, nem com a avó, mas ficou fascinado pela rapidez com que abriam o caminho com as mãos em forma de pá. E desatou a rir baixinho quando viu como farejavam o ar, porque com certeza sentiam que estava ali gente estranha..

— Olha como são fortes e corajosas. A mãe e a avó são corajosas, não são?

O Francisco abanou que sim com a cabeça, ainda ontem a avó se tinha cortado num dedo a cozinhar, saía sangue por todo o lado, e não chorara nem um bocadinho. E a mãe não tinha medo do escuro, e à noite nem precisava de uma luzinha no quarto, como ele.

— Vê Francisco, disse o avô, muito excitado, apontando para um dos Toupeira, repara, ele tem uma espada igual à tua, olha.

E não é que era mesmo verdade, e o toupeira tinha uma espada pequenina, com uma lâmina de metal afiada, que brilhava à luz do sol que passava por entre as árvores gigantes com ramos estendidos.

— Tem uma espada com as armas dos Toca de Toupeira no cabo, tal e qual a que temos lá em casa pendurada na parede da sala, estás a ver?

O Francisco reparou e ficou tão contente, que nem conseguia ficar quieto no chão:

— A espada que o avô tem na sala é de um Toca de Toupeira? Aquela que o avô diz que   brilha caso alguém que me queira fazer mal se aproxime de casa? Acha que este Toca de Toupeira também entrou em guerras contra os maus?

— Não acho, tenho a certeza, confirmou o avô, e explicou: a vida nos subterrâneos da terra, não é fácil. Há sempre inimigos que os querem estragar ou que tentam usar as passagens secretas para roubar bancos ou entrar em casa das pessoas... e os Tocas de Toupeira têm de os apanhar e mandá-los para a prisão.

O Francisco ficou de boca aberta. Os antepassados da mãe eram arquitetos, guerreiros e quase polícias. Nem o super-homem fazia tanta coisa ao mesmo tempo.

O avô levantou-se devagarinho, pondo as mãos nas costas, que lhe doíam, e sentou-se num tronco, esticando as suas pernas compridas.

— Bem, temos de ir embora, porque a avó vai começar a ficar preocupada, disse.

— Mas avô, não vamos falar com eles? Não vamos convidá--los para irem lanchar a nossa casa? Assim talvez nos convidassem para irmos conhecer os túneis...

— Sabes, acho que desta vez não os devíamos incomodar, viemos só confirmar que a casa deles é aqui. Depois pedimos à avó para lhes escrever uma carta, afinal ela é que é mesmo, mesmo da família deles, a convidá-los para o almoço do dia de Natal, o que achas?

O Francisco entusiasmou-se de novo. Que grande dia de Natal seria se os Toca de Toupeira também fossem almoçar connosco. E de repente lembrou-se:

— Avô, se eles fazem subterrâneos, de certeza que já trabalharam com o Pai Natal, porque o Pai Natal está sempre a precisar que defendam as caves onde guarda os presentes de Natal, dos ogres, e de outras criaturas do mal.

O avô do Francisco franziu o sobrolho, como fazia quando estava a pensar:

— Ah claro, esses são os Toca de Toupeira do Polo Norte. Agora que me falas nisso, tenho lá em casa as cartas que escrevem à avó todos os natais, depois lembra-me de te as ler. Mas agora vamos...

O Francisco olhou para o monte de areia por onde tinham desaparecido os novos primos, e teve vontade de se meter pelo túnel adentro, mas o avô disse-lhe que da próxima vez traziam uma lanterna, porque sem lanterna iam andar a bater com a cabeça contra tudo.

No caminho de volta, o Francisco vinha aos saltinhos de contente:

— Avô, não se esqueça de me ler a carta dos primos do Polo Norte.

— Claro que não me esqueço, disse o avô, e depois desatou a rir. Não me esqueço se tu me lembrares, claro, que a minha memória anda muito distraída.

Quando chegaram a casa dos avós, a mãe já lá estava. O Francisco correu para o colo dela, ela abraçou-o e soprou-lhe as mãos frias com um bafinho quente de que ele gostava tanto, e depois deu-lhe milhões de beijinhos. O Francisco, às gargalhadas, escapou dos seus braços e, sem querer, fez saltar-lhe os óculos do nariz. A mãe, aflita, protestou:

— Agora não vejo nada, filho, ajuda-me a procurar os óculos, e pôs-se de gatas a tatear debaixo da mesa.

O Francisco pediu desculpa e foi logo ajudá-la, e quando os encontrou estendeu-os à mãe, enquanto dizia, piscando o olho ao avô:

— Ainda bem que herdei os olhos da família dos Mouros! ⭐

Os Toca de Toupeira e os ajudantes do Pai Natal

Estava escuro e chovia torrencialmente quando o Francisco chegou a casa dos avós. Entrou pela casa com o casaco a pingar, e foi preciso que a avó o pescasse pelo gorro para que se lembrasse que antes de mais nada tinha de tirar as galochas e a roupa molhada, porque os adultos têm a mania que as pessoas apanham constipações por ensoparem os pés, quando todas as crianças sabem que só ficam doentes porque vão à escola!

Mal se livrou da avó e da roupa, correu pelas escadas acima até à salinha onde o avô Francis estava sempre nestes dias frios, e encontrou-o com o roupão quentinho vestido por cima da camisola, rodeado dos seus livros, papéis e lápis.

— Avô, tem aí a carta dos Toca de Toupeira do Polo Norte?, perguntou o Francisco, ofegante.

O avô, com um ar muito sério, apontou para a estante onde estava uma pasta e pediu ao Francisco para lha trazer. Vasculhou nos papéis e protestou:

— Ai meu Deus, a avó tem a mania de me arrumar os papéis todos, e depois não encontro nada. Ela diz que é arrumar,

mas para mim é desarrumar... E gritou: Paméeela, «Pamela» porque esse era o nome da avó Toca de Toupeira, que apareceu minutos depois com as mãos cheias de farinha do jantar que estava a fazer:

— Para que é que precisas de gritar, não sabes onde estou? O que foi Francis?, perguntou impaciente.

— Desculpa, desculpa, mas viste a carta dos primos Toupeira do Polo Norte, perguntou o avô Francis, enquanto a avó ia até à estante e tirava um dossier que dizia na lombada «Cartas dos Primos Toupeira», escrito na sua letra certinha.

— Estão aqui, onde é que haviam de estar? Se não as tivesse salvo da tua desarrumação, a esta hora estavam no lixo, ou já as tinhas usado para acender a lareira.

O avô encolheu os ombros e puxou o Francisco para o seu colo:

— Não sei se já te tinha dito, mas é preciso muita paciência para aturar avós Toupeira.

A avó riu, e passou a mão pelo cabelo do Francisco, contente por o ver ao colo do avô.

Mas o Francisco já estava a ficar impaciente:

— Avô, leia lá.

O avô abriu o dossier onde a avó arrumara as cartas:

— Vamos lá ver esta última carta escrita uns dias antes do Natal. Este João Toca de Toupeira era assistente do Urso Polar, sabes aquele que ajudava o Pai Natal.

O Francisco sabia perfeitamente.

— Então vou começar a ler:

Querida prima Pamela,
Por aqui está muito, muito frio. Quer dizer, para dizer a verdade não sei se está mais frio do que o ano passado, porque a minha memória já não está grande coisa, mas parece-me que sim. De qualquer maneira, o Pai Natal convocou-nos para uma reunião e disse-nos que o mundo estava em crise, mas que não era por isso que íamos deixar de fazer presentes para todos os meninos que nos tivessem escrito cartas ou enviado e-mails com os seus pedidos (SMS não contam, porque o Pai Natal acha que merece uma carta como deve ser). Mas explicou-nos que os tempos estavam difíceis e ainda por cima, como já não havia nada nas caves dos bancos para roubar (o ouro e as notas tinham desaparecido todas), os ogres e os

duendes maus tinham emigrado para o Polo Norte e contavam assaltar as caves do Pai Natal. Ou seja, era preciso redobrar a vigilância.

Como sabes, redobrar a vigilância significa mais trabalho para a família Toca de Toupeira, que há séculos e séculos não deixa roubar os presentes do Pai Natal. Felizmente os meus netos estão bem ensinados e todos juntos fizemos túneis por baixo de onde os duendes e ogres tinham acampado. Trabalhámos noite e dia, mas muito silenciosamente para que não dessem por nós.

Com os nossos ouvidos, que como sabes são muito bons, conseguimos espiar todas as reuniões, e ficámos a perceber em que dia é que iam assaltar as caves.

Quando contámos ao Pai Natal o que ia acontecer, ele decidiu mudar os presentes verdadeiros para outro sítio, e inventar uns presentes falsos para os enganar.

Os duendes bons ficaram horrorizados com a ideia, porque julgaram que iam ter o dobro do trabalho, mas o Pai Natal pediu ajuda às fadas que com as suas varinhas criaram caixas e caixinhas, todas bem embrulhadas, e com laços enormes, mas cheias de pedras. E pedras muito pesadas.

Na noite do assalto, quando os maus estavam a roubar os presentes, os ursos, os duendes bons, os ratinhos brancos e as outras criaturas do Bem, apareceram de surpresa e os ladrões assustados começaram a fugir muito aflitos para o sítio onde estavam acampados.

Mas como iam com os presentes falsos aos ombros e estavam muito pesados, ao correrem por cima dos túneis que fizemos, a terra cedeu e caíram todos na nossa armadilha. E imagina o que aconteceu: ficaram todos presos no fundo do buraco!

Viva, viva, gritaram os Bons, e o Pai Natal soltou o mais bonito fogo de artifício de sempre. Bang, bang, bang, as luzes encarnadas, verdes e amarelas encheram o céu do Polo Norte e todas as crianças do mundo ficaram a saber que afinal iam ter presentes.

Tenho a certeza de que os teus netos viram a luz, e que vão ter uma fantástica surpresa quando na noite de Natal puserem a meia ao fundo da cama, ou o sapato na chaminé, se preferirem.

O Francisco saltou do colo do avô e pegou na sua espada, que estava sempre por perto.

— Avô, para o Natal que vem, mande-me para o Polo Norte...

O avô fechou o dossier das cartas e prometeu:

— Para o ano, Francisco, vais ajudar o Pai Natal. ☾

O segredo da bicicleta mágica

Um dia a mãe disse ao Xavier que iam deixar Lisboa, para irem viver para a Serra da Estrela. E como acontece com todas as grandes mudanças, vêm sempre novas aventuras, mas o Xavier ainda não sabia disso, e por enquanto estava assustado e só lhe apetecia refilar.

— Mãe acabei de entrar na escola, vou passar agora para o 2.º ano, a mãe não sabe como é difícil fazer amigos? E de qualquer maneira como é que vou para a escola, de trenó?, resmungou o Xavier.

E quanto mais a data se aproximava, mais ansioso ficava. Na noite antes da partida não conseguiu mesmo dormir.

— Mãe!!?, disse o Xavier alto para a mãe o ouvir do quarto dela.

— Sim querido, o que foi?, veio a resposta como se estivesse a cair pelo teto.

— Vou ter saudades do pai, quando é que vou poder vir ver o pai, mãe?, perguntou o Xavier a tentar disfarçar as lágrimas que se tinham colado às suas palavras enquanto saiam da sua boca e atravessavam o quarto, passando pela porta *(que ficava sempre*

um bocadinho aberta), seguindo pelo corredor, até chegarem ao quarto da mãe.

E a mãe respondeu:

— Acho que há aqui um lugar para um menino pequenino na minha cama...tem um nome a marcar o lugar mas...ai, não consigo ler bem, está escuro... é Daniel? Afonso? Ai, não tenho os óculos que chatice...

Ainda a mãe não tinha acabado de dizer isto e já o Xavier estava a entrar na cama.

— É o meu nome, mãe! Não preciso de óculos, consigo ler perfeitamente!, disse o Xavier, a rir.

No dia seguinte lá se meteram ao caminho, e quando chegaram finalmente à Serra da Estrela, o Xavier já não aguentava mais. A viagem parecia ter demorado uma semana. Havia malas e sacos em todos os espacinhos do carro, e acho que se uma formiga precisasse de boleia, o Xavier e a mãe teriam de pedir-lhe desculpa por só lhe poderem arranjar um lugar muito apertado. Mas graças a Deus não havia nenhuma formiga a precisar de boleia naquele dia...

Estava frio lá fora, mas não era um frio mau, era um daqueles frios que dá vontade de nos mexermos para aquecer. Via-se bem que ainda era outono.

— Mãe, imagine o frio que vai ficar quando for inverno!, disse o Xavier.

— Não preciso de imaginar querido, porque vivi cá quando era pequenina. O teu avô trabalhou aqui durante um ano e trouxe com ele a família toda, a mim e aos teus tios. É por isso que sei que te vais divertir. Mas hoje vais ter um presente à tua espera porque te portaste muito bem: ajudaste a pôr as coisas no carro e também foste muito corajoso a encarar esta mudança toda, disse a mãe, com um sorriso muito grande na cara.

Assim que entraram na casa nova, o Xavier foi direito ao seu novo quarto. Era pequenino e diferente do outro, lembrava-lhe uma gruta, ou talvez um barco, não sabia bem, mas tinha a certeza de que parecia tirado das histórias de magia, fadas e dragões que os pais e os avós lhe liam à noite (*para dizer a verdade começava a pensar que não passavam de histórias para meninos, porque nunca vira nada dessas coisas acontecer*).

Mas agora também não era altura para pensar nisso, queria ir ver o presente. E o presente era tudo o que o Xavier andava a desejar receber há vários natais.

— Uma bicicleta, mãe! Uma bicicleta!, gritava o Xavier, aos saltos.

— Eu sei, querido, fui eu que a comprei!, respondeu a mãe, e acrescentou: mas agora já é tarde, andas amanhã.

— Não, mãe, hoje, por favor, hoje!, implorou o Xavier, quase amuado.

— Hoje não pode ser, querido, amanhã também é dia, disse a mãe, numa voz firme, e acrescentou: o senhor que me vendeu a bicicleta disse-me que queria cá estar quando andasses pela primeira vez. Disse que havia coisas que precisava de te ensinar.

— Mas já sei tudo, mãe! Os primos já me ensinaram, disse o Xavier indignado.

— Eu sei querido, mas esta bicicleta é diferente, e o senhor pediu para esperares...é já amanhã, disse a mãe com um ar sério, a tentar acalmar o Xavier.

A noite custou a passar, mas mal o sol se levantou o Xavier estava à porta, a segurar a bicicleta.

Quando o senhor chegou, o Xavier não queria acreditar, era tãaoooo velhinho, como é que um velhinho de bengala, o podia ensinar a andar de bicicleta? Ia dar uma gargalhada, mas quando olhou para cima e viu que a mãe estava ao seu lado, e com a cara do «livra-te!», passou-lhe logo a vontade de rir.

— Senhor Gilberto, este é o meu filho. Muito obrigada por nos ter deixado a bicicleta cá em casa, foi uma enorme surpresa para o Xavier, disse a mãe.

— Ele até é maior do que eu pensava, mas acho que esta lhe vai servir perfeitamente. Parece pesar um bocadinho mais do que eu imaginava, e a bicicleta vai levar um bocadinho mais a levantar, mas depois aí vai ela, dizia o senhor Gilberto, e virando os olhos para o Xavier, continuou:

— Prometes tomar bem conta dela? Não a vais deixar à chuva a enferrujar? E pões-lhe um bocadinho de óleo na corrente todos os dias, sim?

O Xavier só conseguia pensar «que esquisito, o senhor fala da bicicleta como se fosse um cão!». Mas mesmo assim lá conseguiu responder-lhe com a voz mais séria do mundo (*e não estava a mentir*):

— Sim senhor, prometo.

— Agora é tua, e tu és dela! Senta-te, disse o velhinho.

O Xavier sentou-se.

— Pedala, pedala, que eu seguro-te até te habituares, gritou o senhor.

O Xavier pedalou com toda a força.

«O velhinho está mesmo a correr ao meu lado, como é que é possível, e sem bengala nem nada...» pensou, admirado, o Xavier.

E de repente, começou a estranhar a sensação de leveza...

«Que tonto, ainda não percebeu que sei andar perfeitamente sozinho?», pensou.

Mas a voz de uma menina interrompeu-lhe os pensamentos:

—Estás pronto?

Não conseguia perceber de onde vinha a voz, olhou para o lado e percebeu que o velhinho e a mãe tinham ficado lá para trás, o que seria aquilo? Só esperava que a bicicleta não tivesse um botão como as bonecas das primas, que quando se carregava as fazia chorar ou dizer «papá».

— Estás tonto, achas que sou alguma boneca, não? Vê lá se não te viro ao contrário e te largo já aqui!, disse a voz.

Trouxeste paraquedas, espero eu, ou vão-te crescer asas durante o caminho para baixo?, continuou a voz, rindo-se ao mesmo tempo que falava.

O Xavier estava tão concentrado a olhar para a bicicleta à procura do tal botão, que só quando lhe perguntaram: «Trouxeste paraquedas?», é que se lembrou de olhar para a frente.

— Oh não, uma montanha mesmo à minha frente, gritou, e com o susto, desequilibrou-se e caiu da bicicleta, rebolando no ar ... e de repente desatou a berrar: é um sonho, só pode ser um sonho, isto aqui mesmo em cima de mim, é um pássaro, é um avião? Não pode ser um avião tão perto, é um sonho, tem de ser...

Enquanto o Xavier caia da altura das nuvens, a bicicleta que

era a mais rápida de todas as bicicletas mágicas da loja do feiticeiro, disparou para baixo à velocidade da luz e apanhou o Xavier.

— Agarra-te!, agarra-te ao volante e mete os pés nos pedais, gritou a bicicleta.

Nunca o Xavier tinha gostado tanto de ouvir uma ordem, e também nunca tinha visto o chão a chegar tão rápido como estava a aproximar-se agora, estava mesmo ali. Fez exatamente o que a bicicleta lhe pediu e *vruummm* a bicicleta acelerou e voltou a subir...

— Então não tinhas dito que sabias andar? Pelos vistos tenho de te dar umas lições! Chamo-me Lila, e se alguma vez voltares a pensar que tenho um botão como aquelas bonecas parvas não te volto a apanhar se caíres, disse, ofendida.

—Eu sou o Xavier e desculpa Lila não volta a acontecer. Obrigado por me teres salvo, estava a ver que era o fim, respondeu o Xavier, com a voz ainda um bocadinho trémula.

«Ele até tem uma voz simpática», ouviu o Xavier dentro da sua cabeça.

— Disseste alguma coisa Lila?, perguntou o Xavier confuso.

—Ahhh não disse nada, desculpa, é que quando estamos a voar juntos conseguimos ouvir dentro da cabeça um do outro, porque às vezes andamos tão rápido que é mais fácil comunicarmos assim...

«É melhor voltarmos, porque a minha mãe já deve estar a pensar que desapareci», pensou o Xavier.

—«Sim, vamos a caminho,», respondeu a Lila por pensamento.

Quando aterraram mesmo ao lado do velhinho e da mãe do Xavier, o Xavier perguntou:

— A mãe já sabia? Já sabia que a Lila voava?

— Claro que sabia, só não sabia é que se chamava Lila, mas gosto do nome, respondeu a mãe, a imitar o tom de voz excitado do filho. E continuou:

— Por que é que achas que o teu avô veio para cá trabalhar? Quem é que achas que ensinou ao Gilberto tudo o que ele sabe sobre bicicletas mágicas, onde nascem, como tomar conta delas, como treiná-las...

O senhor Gilberto tossiu, uma maneira educada de a interromper. A mãe pediu-lhe desculpa:

— Bem, tudo, tudo...não, mas muitas coisas. O meu pai sempre disse que «Talento para as bicicletas ninguém tinha como o Gilberto».

E virando-se de novo para o filho, contou:

— Eu também tive uma bicicleta mágica. A minha era a Miriam, e quando cresci e tive de voltar para Lisboa, ela ainda foi comigo, mas não gostou nada e teve saudades da serra, porque é aqui que nascem e têm a família. A Miriam voltou para cá, mas tive muita pena.

Na verdade a mãe do Xavier também falava para a Lila ouvir, porque queria que ela soubesse que não tinha abandonado a sua bicicleta.

O senhor Gilberto, juntou-os a todos como se fossem dar um grande abraço de grupo, e disse baixinho:

— Isto é o nosso segredo, meus amigos, isto é o nosso segredo, e é só para pessoas com espírito e coração grandes.

E foi, por isso, que o Xavier nunca foi de trenó para a escola, mesmo quando estava a nevar muito, mas posso dar-vos a certeza de que também nunca foi a pé. ◖

FFF

Histórias
com segredos
bem
guardados

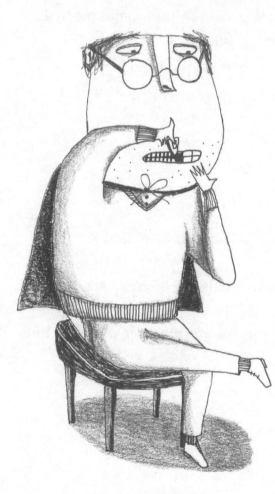

IV

As histórias:

O avô que pensava que era o lobo mau

Carminho ouviu um barulho muito forte e foi à janela ver o que se estava a passar.

— Pai, pai, é o avô que está lá fora a soprar com toda a força, gritou.

O pai, que estava sentado a ler o jornal, levantou a cabeça e disse:

— Que disparate Carminho, não pode ser o avô, deve ser o lobo mau.

A Carminho voltou à janela e lá estava o avô a soprar e a soprar, a cara muito encarnada, e a dizer numa voz grossa:

— Minho, Minho deixa-me entrar, senão eu sopro, sopro até não poder mais e a casa vai pelos ares.

A Carminho voltou para ao pé do pai, puxou-lhe o braço e disse:

— É o avô, mas parece mesmo, mesmo, o lobo mau e diz as mesmas coisas que o lobo mau diz na história dos três porquinhos.

O pai não ouviu nada, fez-lhe uma festa no cabelo, mas sem se distrair do que estava a ler respondeu:

— Carminho, querida, acho que é o lobo, mas não te preocupes porque o pai construíu uma casa tão forte, tão forte, que ninguém consegue deitá-la abaixo.

A Carminho voltou à janela, e apesar da força do sopro do avô conseguiu abrir o vidro, e disse:

— Avô, pare já com isso. O pai diz que a casa não voava, mesmo que fosse o lobo mau a soprar.

O avô ainda abriu a boca uma vez mais, mas depois encolheu os ombros e riu muito:

— Então se não consigo deitar a casa abaixo, vamos antes comer bolo torrado com manteiga e um chazinho quente, porque está muito frio aqui fora, boa?

E a Carminho foi a correr abrir-lhe a porta, e foram os dois lanchar para a cozinha. O pai continuou a ler o jornal e nem deu por nada. ⭐

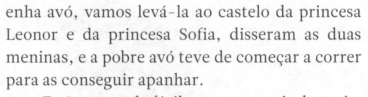

O castelo das princesas

Venha avó, vamos levá-la ao castelo da princesa Leonor e da princesa Sofia, disseram as duas meninas, e a pobre avó teve de começar a correr para as conseguir apanhar.

E não era nada fácil correr na areia da praia, porque os sapatos enterravam-se muito fundo e voltavam para cima cheios de areia, e ainda por cima o vento soprava com força e quase atirava a avó para o chão.

— Esperem meninas, a avó não consegue correr tão depressa como vocês.

As meninas voltaram para trás e deram a mão à avó:

— Avó, a avó está preparada para o caminho? É que é perigoso, disse uma.

— É preciso ter muita coragem para enfrentar as ondas do mar, e os monstros cor-de-rosa têm garras afiadas, disse a outra.

A avó deixou-se cair na areia, e obrigou as meninas a sentarem-se ao seu lado:

— Isso não me disseram quando estávamos em casa...

As meninas abanaram a cabeça envergonhadas:

— Pois não, porque tivémos medo que o avô não nos dei-xasse vir, disse uma.

— Mas não é assim tão perigoso, disse a outra.

Nós vamos lá muitas vezes... e de qualquer maneira a prin-cesa Sofia ou a princesa Leonor vêm ajudar-nos se for preciso.

A avó voltou a levantar-se, sacudiu mais uma vez a areia do cabelo, e disse:

— Então vamos lá, porque a avó nunca fugiu de nenhum perigo, muito menos se a recompensa é conhecer essas prince-sas e ver o castelo. Mas para estar preparada, digam-me lá qual é o primeiro perigo?

— O primeiro é o mar, disse uma, apontando para as ondas enormes com uma crista de espuma, que batiam com força na areia, neste dia de inverno (*era inverno, não sei se já vos tinha dito*).

— Mas não temos de entrar na água, avó, não tenha medo. Precisamos de pedir às ondas que recuem um bocadinho para nos deixar passar para o outro lado da praia, disse a outra.

A avó olhou para uma e depois para a outra, com um ar preocupada:

— Isso parece-me mesmo muito perigoso!

Mas antes de poder acrescentar o que quer que fosse, calou-se porque as duas meni-nas estavam a conversar com o mar, e a ver-dade é que as ondas recuavam e recuavam, e eram cada vez mais baixinhas.

— Venha avó, temos de passar agora, disseram elas, e a avó atravessou a areia molhada (*pelo menos não entrava para os sapatos*) e chegaram a uma outra praia pequenina, com a areia muito lisa, como se nunca ninguém a tivesse pisado.

— Cuidado avó, cuidado, disse uma.

E antes que a avó tivesse tempo de olhar para baixo, a outra gritou:

— Caranguejos, por favor, não viemos estragar a praia, queremos só passar para o castelo da princesa Leonor e da princesa Sofia.

Quando ouviram aquelas palavras, os caranguejos começaram a andar para trás muito depressa, e a deixar aberto um carreirinho que levava a uma escarpa alta.

— Não me digam que temos de subir aquilo tudo?, perguntou a avó preocupada.

— A avó não sabe fazer escalada?, perguntou uma.

— A mãe e o pai sabem, e já nos ensinaram, acrescentou a outra.

— Mas a avó não sabe nada disso, e quando a vossa mãe escalava eu tinha muito medo que ela caísse.

As meninas olharam uma para a outra e riram:

— A mãe está sempre a contar isso, disseram em coro. Mas não se preocupe, nós subimos num instantinho e já pedimos aos soldados do castelo para a virem buscar.

E a avó ficou a ver as netas subir pelas rochas, e a transformarem-se em pontinhos cada vez mais pequeninos.

«E se caíssem?!», pensava com o coração a bater muito depressa, como os corações das avós batem quando os seus netos correm perigo.

Mas não teve muito tempo para ficar preocupada, porque logo, logo, chegaram os soldados com cordas e um cesto (*como as pessoas usavam quando não tinham elevadores*), e a avó lá subiu, como se fosse uma alface num cesto das compras.

Lá em cima as netas esperavam-na e levaram a avó até a um jardim escondido numa gruta, onde a Sofia e a Leonor as receberam com os braços muito abertos.

A princesa Leonor estava com um vestido azul cheio de estrelas, e a princesa Sofia com um vestido cor-de-rosa, cheio de luas, mas ambas usavam ténis, porque a coisa que mais gostavam de fazer era escalar.

Depois de apresentarem a avó às princesas, decidiram ir todas almoçar. A mesa era muito grande e feita de conchas, e comeram uma sopa de algas maravilhosa (*para dizer a verdade, a avó nunca tinha comido uma sopa daquelas, era a primeira vez*), e à tarde brincaram nas grutas que tinham brilhantes pendurados do teto. Quando o sol começou a descer no horizonte, a avó disse:

— Princesa Leonor e princesa Sofia foi um dia extraordinário, mas agora temos de ir, porque daqui a nada fica escuro e não conseguimos encontrar o caminho para casa.

As netas protestaram e pediram para ficar mais um bocadinho, mas a avó não deixou, e por isso disseram adeus às princesas, e acompanhadas por soldados com tochas na mão, regressaram à praia. Quando chegaram à areia, um dos soldados entregou à avó um embrulho com um laço enorme.

— Avó abra depressa, disse uma das meninas.

— Queremos ver o que é que a princesa Leonor e a princesa Sofia lhe deram, depressa avó.

A avó riu pela impaciência das meninas e abriu o presente, e sabem o que era?

Uns sapatos de escalada, mesmo, mesmo, profissionais.

E sabem como é que se chamam os sapatos de escalada que são mesmo profissionais?

«Pés de gato» porque os gatos sobem tudo e, além do mais, caem sempre de pé!

E a partir desse dia a avó e as netas foram muitas vezes ao castelo. ✹

O jogo da árvore

Vou contar-vos uma história passada na floresta, mas primeiro preciso de saber se conhecem o jogo «Eu e as árvores»? ...não conhecem, pois não? ahh bem me parecia, porque fui eu que o inventei e só contei ao meu avô que este jogo existia. Mas como o acho giro e não gosto de guardar as coisas boas todas para mim, vou explicar como se joga.

Como diz o nome, o jogo é jogado só por mim e pelas minhas árvores «chamo-as minhas porque são as que vivem ao pé da minha casa, mas é claro que não são mesmo minhas, são delas, mas às vezes sinto que é como se fossem».

O jogo é muito simples, é só correr de árvore em árvore e abraçá-las — umas são fininhas e fáceis de abraçar, outras são largas e não consigo juntar os braços —; e o jogo é contar quantas se consegue abraçar chegando com uma mão à outra, e em quantas não se consegue. Às que não consigo chamo de «gordas», e às que consigo chamo de «fininhas».

Normalmente, ao pé de onde vivo, o jogo acaba por dar 14 gordas e 5 fininhas, mas o meu avô já me disse que o número vai mudar se eu continuar a jogar, porque os meus braços vão crescer.

Bem, mas voltando à minha história, que não temos o dia todo... Um dia estava a brincar na floresta ao «Eu e as árvores» e vi uma árvore que tinha sido lascada por um lenhador. Não a tinha cortado completamente mas tinha um pequeno corte num dos lados.

Fiquei tão triste quando vi aquele corte que, mesmo sem querer, comecei a chorar. Era uma das minhas gordas, quem é que se tinha atrevido a magoá-la?

Enquanto chorava, dei-lhe um abraço, não foi um abraço rápido como fazia quando estava a jogar, mas um abraço mesmo, mesmo forte. E ela...

(Esta parte não vão acreditar, nunca ninguém acredita, só o meu avô, porque ele já viu muita coisa na vida dele, mesmo muita, mas eu conto na mesma, pouco me importa se acharem que sou mentirosa, pouco me importa, sabem? Porque eu sei que estou a dizer a verdade.)

...abraçou-me de volta, com dois dos seus ramos completamente em redor de mim, estão a ver? E se fosse só isso, ainda poderia estar a imaginar coisas, mas não foi só isso, sabem? A árvore disse numa voz muito baixinha:

— Obrigada querida, mas sabes, não doeu muito, e rápido, rápido vou ficar boa. Agora não me voltes é a chamar gorda se faz favor, gorda é que não. E riu-se muito!

Nunca tinha ouvido ninguém, a não ser os humanos a falar, mas sou inteligente, pelo menos é o que o meu avô me diz, e se nós conseguimos aprender a falar a língua das pessoas de outros países, então é muito provável que outras coisas, como as árvores, também possam aprender a falar.

Até eu, que ainda sou pequena, consigo dizer «obrigada» em espanhol, querem ver: «gracias», e não sou espanhola, estão a perceber o que estou a tentar dizer?

Suspeito mesmo que as árvores já saibam falar há muito tempo, mas não têm é muita paciência para as nossas conversas, ou então são é mais cuidadosas com as palavras do que nós, porque há pessoas, como eu, que falam pelos cotovelos, pelo menos é o que toda a gente diz, claro que não falo pelos cotovelos, falo pela

boca, mas eles provavelmente querem dizer que digo muitas palavras ao mesmo tempo, ou alguma coisa assim...

Sim, está bem, a história, eu sei!

Bem, respondi-lhe:

— Claro, claro, árvore, nem acho que sejas gorda, é só porque os meus braços são muito pequeninos estás a ver? Ainda são curtinhos.

E enquanto lhe dizia isto olhei para cima e consegui ver a boca e os olhos da árvore: tinha uns olhos queridos e um sorriso simpático, parecidos com a D. Alzira, que toma conta de mim, mas era mais alta e, bem, mais... bem, mais árvore. E a D. Alzira é um bocadinho mais magrinha, mas não muito, mas isso não lhe podemos dizer.

Mas, enquanto pensava nestas coisas, ela voltou a falar:

— Nós gostamos muito que jogues este jogo, achamos muita piada e o calor dos teus abraços sabe muito bem.

Que bom, até parecia que éramos amigas há muito tempo.

— Também gosto muito de brincar aqui com vocês, mas por que é que nunca falaram comigo antes? Como já devem ter percebido pelos meus jogos eu gosto de falar, saltar, brincar e rir, e tenho estado bastante sozinha, podiam ter falado comigo antes, não?, disse-lhe eu.

— Não podia, não, minha querida, porque nós árvores não nos devemos meter nos assuntos das pessoas, estamos proibidas.

E depois de uma longa pausa e com um ar muito triste acrescentou:

— Pena os humanos não terem as nossas regras, às vezes parece mesmo que não têm regras, ou não se lembram das que estão escritas dentro da cabeça quando nascem, mas isso é conversa para outro dia. O sol está a pôr-se, e em troca desse teu abraço que vai ajudar a curar o meu corte, podes pedir um desejo, nada de muito complicado minha querida que não sou o génio da lâmpada, mas alguma coisa dentro do razoável.

Então eu pensei muito e muito, e depois respondi-lhe:

— Achas que posso ver o pôr do sol do topo do teu ramo mais alto?

A resposta foi imediata:

— Claro que sim, mas temos de ser rápidas, porque o sol está quase a ir dormir, e ao dizer isto pegou-me pela cintura e foi-me passando de ramo em ramo, até eu estar sentada no tronco mais alto. E ali sentada vi o mais belo pôr do sol que alguma vez tinha visto. E conseguia ver por cima de todas as outras árvores, porque esta minha amiga era uma das «gord... das altas».

O sol já estava a desaparecer no horizonte quando lá de cima comecei a ouvir o meu avô a chamar-me da rua de nossa casa:

— Matilde, Matilde, já está a ficar escuro onde te meteste?

A árvore disse:

— É melhor ires.

E pôs-me no chão. E eu, antes de começar a correr para casa, ainda lhe perguntei:

— Posso contar isto às pessoas, é que não sou muito boa a guardar segredos?

E ela, no meio de risos, disse:

— Claro que podes Matilde, duvido é que alguém acredite! E volta sempre que quiseres, mas não me chames gorda. Riu-se e piscou-me o olho.

Eu sabia que muitos não iam acreditar... mas pouco me importa, eu sei que é verdade. ☾

FFF

A lamparina dos desejos

Em casa da avó havia uma lamparina que a avó dizia que era muito, muito velha, mais velha do que ela, e do que a mãe dela e até do que a avó dela.

— O que é que esta coisa faz, perguntou um dia a Clarinha.

— Dá luz, respondeu a avó, e começou a explicar: se lá dentro pusermos azeite, e depois chegarmos aqui com um fósforo, vês? fica uma luzinha acesa. Mas esta lamparina faz mais do que dar luz, faz magia.

— Magia como, avó, explique, explique, como é que faz magia?, insistiu a Clarinha, dando saltinhos de impaciência.

— Se a esfregarmos com as mãos, aparece um génio e se lhe pedirmos desejos, ele faz com que aconteçam. Agora, como os tempos estão difíceis e ele está a ficar mais velho e preguiçoso, só realiza um desejo.

— Avó, disse a Clarinha muito contente, é como a lâmpada do Aladino, é avó?

A avó riu, divertida:

— Isso mesmo uma lâmpada como a do Aladino, mas cada pessoa só a pode usar uma única vez. E eu já gastei a minha, por isso agora é a tua vez.

Dizendo isto, a avó disse à Clarinha para esfregar as suas mãos na lamparina e passado um bocadinho, *zás*, o Génio saiu de lá gordinho e bem disposto:

— Ai que estou a ficar gordo demais para isto! Qualquer dia não consigo sair por este buraco tão estreito, refilou, mas ao ver a menina pequenina com a lamparina na mão, exclamou:

— Olha que menina tão bonita! E que caracóis tão engraçados. Como é que te chamas?

— Clarinha, disse a menina envergonhada, pousando a lamparina na mesa e olhando para a avó que lhe sorria como quem diz: «Não tenhas medo, é só o Génio dos Desejos».

— Clarinha, e qual é o teu desejo?, perguntou o Génio muito curioso.

— Eu queria torradas com muita manteiga, disse a menina, que com toda esta agitação já estava cheia de fome.

E uma torrada enorme, cheia de manteiga apareceu de repente, e a Clarinha segurou-a entre as mãos, e lambeu a manteiga, com os olhos a brilharem de contente.

Quando acabou, estendeu a fatia de pão ao Génio, toda lambuzada.

— Pode ficar com o pão, porque não gosto muito dessa parte.

O Génio desatou às gargalhadas e devorou a torrada, lambendo os dedos quando já não sobrava nada:

— Começo a minha dieta amanhã, prometo, avozinha, disse o Génio.

A avó só abanou a cabeça divertida:

— Cá por mim começas quando quiseres, mas parece-me que já não vais caber na lamparina.

E a Clarinha e a avó riram muito enquanto o Génio fazia uma ginástica doida para entrar outra vez para dentro da sua casa mágica. ✳

As gémeas iguais que queriam ser diferentes

As minhas netas são gémeas idênticas, disse a avó a uma amiga, com quem estava em grande conversa na esplanada de um café, e as meninas ficaram a olhar uma para a outra, espantadas.

Sabiam que eram gémeas porque quando a mãe apontava para uma fotografia de quando estava à espera de bebé, dizia sempre «Aqui dentro estavam vocês as duas!». E porque faziam anos no mesmo dia, o que queria dizer que tinham nascido ao mesmo tempo. Mas idênticas?

— Minho, a avó disse idênticas, idênticas quer dizer iguais, não é?, perguntou a Mana.

— Claro que é, mas a avó deve estar a precisar de óculos porque não sou nada, mas nada parecida contigo, respondeu logo a Minho.

— Pois não! E a avó sabe isso perfeitamente. Ela não nos está sempre a dizer que nasceste primeiro do que eu?, disse a Mana.

— Claro que nasci, sou muito mais velha do que tu, retorquiu logo a Minho, endireitando-se toda para tentar ficar mais alta, mas não ficava porque eram as duas da mesma altura.

— Muito, muito mais velha não, a mãe diz que nasceste dois minutos antes de mim, corrigiu a Mana, com a sua voz muito meiguinha.

— Mas dois minutos é muito tempo, e o que importa é que o mais velho é o que nasce primeiro. Se os nossos pais fossem reis, eu é que herdava a coroa, repetiu pela milionésima vez a Minho.

A Mana abanou a cabeça divertida, porque também não queria nada ser rainha. Preferia mil vezes mais ser a bebé da mãe e do pai, porque lhe davam sempre uma festinha especial por isso.

— E o pai diz que a minha cara é de pirata, lembrou a Minho.

— E a avó diz que sou igualzinha à mãe quando tinha a minha idade, disse a Mana.

— A avó deve-se ter esquecido de que tenho mais três caracóis malucos do que tu, acrescentou a Minho.

— Mas só tens mais três caracóis porque cortaram os meus, fez notar a Mana.

— Pois, mas de qualquer maneira são caracóis diferentes, disse a Minho com um ar importante.

— Os teus não põem os pauzinhos ao sol?, perguntou a rir a Mana.

A Minho deitou-lhe a língua de fora, e riu também.

— A tua língua é mais encarnada do que a minha, disse a Mana, e segurando a irmã pelo braço arrastou-a até ao espelho que havia num canto do café, e puseram-se lado a lado.

— De que cor são os teus olhos?, perguntou a Minho, enquanto abria muito os seus.

— Verdes, a mãe diz que são verdes, respondeu a Mana, e os teus também são verdes?

A Minho abriu os olhos tanto quanto era capaz e acenou que sim com a cabeça:

— Verdes! E como é que é a tua boca?

A Mana encolheu os ombros, e de repente reparou que a menina que estava lá do outro lado do espelho, encolheu os dela também. Depois franziu o nariz e a menina do lado de lá também franziu o nariz. Deu um saltinho e a outra também.

— Minho, Minho, aquela menina ali é que é igual a mim.

A Minho olhou de frente para o espelho e fez o mesmo. Encolheu os ombros e a menina do lado de lá encolheu os dela, franziu o nariz e a menina do lado de lá franziu o dela. Deu um saltinho, e a outra também.

A Minho e a Mana desataram às gargalhadas.

— Vamos contar à avó, disse a Mana.

— Vamos contar à avó, repetiu a Minho, e foram as duas a correr ter com a avó que continuava a falar com as amigas.

— Avó, avó, disseram as duas.

Ao princípio a avó refilou:

— Meninas, não veem que a avó está a conversar?, mas como as meninas não sossegavam, perguntou-lhes: «O que é que se passa?»

— A avó disse que nós eramos «idênticas», disse a Minho, pronunciando «idênticas» com muito cuidado para não se enganar, porque a Minho não gostava de se enganar.

— O que quer dizer iguaizinhas, acrescentou a Mana, sempre contente por ajudar.

— Sim, e é verdade. Vocês são gémeas univitelinas, quer dizer que são idênticas, o que quer dizer que são iguais.

As meninas entreolharam-se, será que o nome vitelinas vinha de vitelas, daquelas que faziam muuuu...? Bem, depois logo perguntavam, agora o importante era contar o que tinham descoberto.

— Avó, disse a Minho. Eu e a Mana não somos nada parecidas, mas encontrámos umas meninas iguaizinhas, mesmo iguaizinhas a nós.

— Onde?, quis saber a avó, divertida.

— Ali, naquele espelho, disseram as meninas, e apontaram para o outro lado da sala.

E a avó, a Minho e a Mana riram e riram e riram, sem conseguirem parar.

E sabem uma coisa? A partir desse dia a avó nunca mais disse que as suas gémeas eram iguais. ⭐

A menina que dormiu com os pés de fora

Era uma vez uma menina que acordou muito, muito rabugenta. Não sabia por que é que estava zangada, mas só tinha vontade de dizer: Não. E de bater o pé no chão, assim: *trum, trum, trum.*

Quando a mãe entrou no quarto, abriu as cortinas e, com uma voz bem disposta, disse-lhe:

— Bom dia!

A menina respondeu:

— Não!, com uma voz que parecia um trovão.

A mãe riu:

— Não? Mas não o quê? Não está um bom dia, é isso?

— Não, disse a menina ainda mais zangada, porque achou que a mãe estava a fazer troça dela.

A mãe ficou triste, e respondeu também irritada:

— Não sei por que é que estás tão rabugenta, mas tens é de te levantar e vestir para ir para a escola.

— Não, disse a menina, mas era um «não da boca para fora», porque sabia que a mãe não a ia deixar ficar na cama, e que o melhor era tratar de se despachar depressa. Quando já estava pronta, desceu as escadas e encontrou o pai na cozinha.

— Bom dia, filha, disse o pai, bem disposto.

— Não, Não e Não, disse a menina com a boca, e com o pé bateu uma, duas e três vezes no chão.

O pai olhou para ela com os olhos a deitar faíscas e disse:

— Se não achas que está um bom dia, paciência, mas bater o pé dessa maneira é que nem te atrevas. E saiu, irritado, para o escritório.

A menina chegou à escola, entrou na sala, e sentou-se na cadeira dela, com uma cara tão zangada que os outros meninos fingiram que nem a viram. Mas quando a professora entrou e disse:

— Bom dia, meninos.

Ouviu-se uma voz lá do fundo:

— Não!

E aposto que vocês sabem de quem era a voz. Pois, claro, a da menina que tinha acordado rabugenta. Só que a professora fingiu que nem a tinha ouvido e continuou a dar a aula.

No recreio, a menina sentou-se num canto e quando outra menina lhe veio perguntar se queria brincar, ela disse:

— Não e Não, assim com uma voz zangada e o pé a bater no chão.

E, por isso, ficou sozinha o tempo todo, porque ninguém tinha vontade de ficar com o dia estragado.

A menina sentia-se muito infeliz. Mordia o lábio, de tão zangada que estava, mas não conseguia livrar-se daquela nuvem que tinha lá dentro. Depois voltou a dizer Não, quando lhe puseram o prato com a comida à frente, e até disse Não quando lhe estenderam um chupa-chupa. Na verdade, até já ela estava cansada de tantos Nãos, mas parecia que se tinha esquecido de todas as outras palavras.

Quando a avó a veio buscar à escola, percebeu logo que a menina tinha uma trovoada no coração.

— Já vi que tiveste um dia muito mau, disse a avó.

E a menina ia dizer Não, mas percebeu a tempo que se dissesse Não, estava a dizer que não tinha tido um dia mau, ou seja dizia que o dia tinha sido bom. E não tinha. Por isso, ficou muito calada.

— Estás assim desde que acordaste?, perguntou a avó.

A menina abanou que sim com a cabeça.

— Mal abriste os olhos, tiveste vontade de dar murros a toda a gente?, insistiu.

A menina abanou duas vezes que sim com a cabeça.

— Sentes um nó na garganta, que parece que não deixa as palavras sair?

— Como é que a avó sabia?, pensou a menina, mas só conseguiu olhar para ela, porque ainda estava muito zangada.

— E ficaste furiosa porque a mãe, o pai, a professora, as tuas amigas e toda a gente te disse que estava um bom dia, quando achas que este é o dia mais horrível de sempre?, perguntou a avó.

A menina começou a sentir os olhos encherem-se de lágrimas…

A avó meteu a chave à porta, empurrou devagarinho a menina à sua frente, levou-a até ao sofá e sentou-a ao seu colo, embalando-a devagarinho.

— Coitadinha da minha neta, sei muito bem o que é que te aconteceu.

A menina, esfregou os olhos com as mãos, para esconder as lágrimas que lhe pingavam dos olhos, e disse baixinho:

— E o que é que aconteceu, avó?, perguntou, deixando a cabeça descansar contra o ombro da avó.

— Dormiste com os pés fora da cama!

A menina ficou a olhar para a avó de boca aberta.

— A avó está a gozar comigo, disse, ainda com um bocadinho de rabugisse na voz.

A avó riu, e puxou-lhe o cabelo para fora dos olhos, e endireitou-lhe o gancho:

— Não estou nada a brincar contigo. Às vezes, durante a noite, os pés ficam de fora e constipam-se. Depois, como não podem espirrar porque não têm boca, nem fungar porque não têm nariz, nem ficar com dores de cabeça, porque não têm cabeça, ficam zangados. E a zanga vai subindo, subindo, subindo e quando acordamos já estão em todo o lado, e sem sabermos porquê acordamos com vontade de bater o pé, dizer Não a tudo, e até de dar murros nas pessoas que não nos fizeram mal nenhum.

A menina ficou espantada: era mesmo, mesmo como ela se tinha sentido todo o dia.

— E agora avó?

— Agora vou-te tricotar umas meias quentinhas e vais dormir com elas todas as noites! Mas entretanto, vamos beber um leite com chocolate quente, e comer uma fatia de bolo, porque curam muito depressa as constipações dos pés. E assim foi. ☾